Les momies

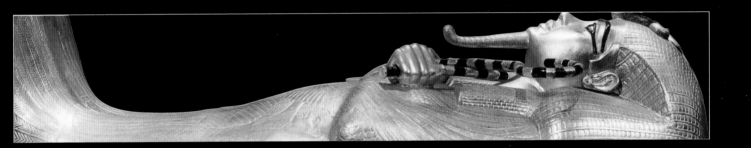

Un livre Dorling Kindersley
www.dk.com

Pour l'édition originale

Auteurs Peter Chrisp
Édition Simon Holland,
Patricia Moss, Selina Wood
Responsable éditoriale Camilla Hallinan
Directrice éditoriale Sue Grabham
Conseiller Joyce Filer

Cartographie Simon Mumford

Couverture Neal Cobourne

Pour l'édition française

Responsable éditorial Thomas Dartige
Suivi éditorial Éric Pierrat et Anne-Flore Durand

Réalisation ML ÉDITIONS, Paris
Traduction Sabine Wyckaert
Édition Véronique Cezard

Couverture Raymond Stoffel et Aubin Leray

 5757, RUE CYPIHOT
SAINT-LAURENT (QUÉBEC)
H4S 1R3

www.erpi.com/documentaire

Dépôt légal: 4ᵉ trimestre 2005
Bibliothèque nationale du Québec
Bibliothèque nationale du Canada
ISBN 2-7613-1843-9
K 18439

Imprimé en Chine
Édition vendue exclusivement au Canada

Les momies

par Peter Chrisp

LES THÉMATIQUES DE
l'encyclopédi@

ERPI

Google

SOMMAIRE

Une collection qui s'ouvre sur Internet

ERPI et Google™ ont créé un site Internet dédié au livre «Les thématiques de l'encyclopedi@ – Les momies». Pour chaque sujet, vous trouverez dans le livre des informations claires, synthétiques et structurées mais aussi un mot clé à saisir dans le site. Une sélection de liens Internet vous sera alors proposée.

http://www.encyclopedia.erpi.com

 **Saisissez cette adresse...**

Choisissez un mot clé dans le livre...

Toutankhamon

Vous ne pouvez utiliser que les mots clés du livre pour faire une recherche sur notre site.

 **Saisissez le mot clé...**

Toutankhamon

Allez sur Internet l'esprit tranquille :

- Demandez toujours la permission à un adulte avant de vous connecter au réseau Internet.
- Ne donnez jamais d'informations sur vous.
- Ne donnez jamais rendez-vous à une personne rencontrée sur Internet.

- Si un site vous demande de vous inscrire avec votre nom et votre adresse e-mail, demandez d'abord la permission à un adulte.
- Ne répondez jamais aux messages d'un inconnu et parlez-en à un adulte.

Parents : ERPI met à jour régulièrement les liens sélectionnés ; leur contenu peut cependant changer. ERPI ne peut être tenu pour responsable que du contenu de son propre site. Nous recommandons que les enfants utilisent Internet en présence d'un adulte, ne fréquentent pas les forums de clavardage et utilisent un ordinateur équipé d'un filtre pour éviter les sites non recommandables.

 **Cliquez sur le lien choisi...**

 **Téléchargez des images fantastiques...**

Images | Momie

▶▶ **Explorez la tombe de Toutankhamon.**

Les liens incluent des animations 3D, des vidéos, des bandes sonores, des visites virtuelles, des quiz interactifs, des bases de données, des chronologies et des reportages en temps réel.

Œil *oudjat*

Ces images sont libres de droits mais elles sont réservées à un usage personnel et non commercial.

Reportez-vous au livre pour un nouveau mot clé.

LES MOMIES DU MONDE

Une momie est le corps préservé, toujours revêtu de sa peau, d'un homme ou d'un animal morts. Certaines momies sont âgées de plusieurs milliers d'années, mais elles sont si bien conservées que l'on sait à quoi ressemblaient l'homme ou l'animal quand ils étaient vivants. La momification peut se produire par accident dans les endroits extrêmement secs, froids ou humides, mais elle fut plus souvent pratiquée par l'homme, généralement pour des raisons religieuses. Ainsi, les Égyptiens voulaient procurer un abri à l'âme dans l'au-delà, et les Péruviens pensaient que leurs défunts momifiés demeuraient des membres importants de la famille.

Habits chauds en peau de phoque

●GROENLAND

●ROYAUME-UNI

PRÉSERVÉ PAR LA NATURE ▲
Cet homme vieux de deux mille ans fut découvert en Angleterre dans une tourbière, dont la température basse et le tanin ont préservé la peau et les organes. Comme nombre de corps trouvés dans des tourbières d'Europe du Nord, sa mort fut violente : il fut étranglé et eut la gorge tranchée. Il s'agissait probablement d'un sacrifice rituel.

Coiffe en plumes colorées, ornée de disques d'or

●PÉROU

◄ UN ANCÊTRE SACRÉ
Certaines des momies les mieux préservées viennent des déserts côtiers du Pérou. Le peuple chimú y conquit un empire au XIVᵉ siècle. Tout comme les Péruviens le faisaient depuis près de deux mille ans, les Chimú enveloppaient étroitement leurs morts dans plusieurs couches de cotonnade, genoux remontés vers le menton. Les Chimú considéraient leurs ancêtres comme de puissantes présences vivantes pouvant les aider en cas de besoin.

Peau préservée par le sable du désert

Le masque couvre la tête, mais aussi le torse.

EMBAUMÉ POUR TOUJOURS ►
Durant quelque trois mille ans, les anciens Égyptiens préservèrent soigneusement leurs morts, ôtant les organes, desséchant la chair à l'aide de natron (composé salin) et emmaillotant le corps dans des bandelettes en lin enduites de résine. La momie portait un masque en or massif ou en plâtre doré. Les Égyptiens pensaient créer ainsi un corps nouveau et parfait pour l'éternité.

Du lin entrecroisé maintient le masque en place.

Sous le masque, la momie est emmaillotée.

◄ UNE MOMIE NATURELLE

Les températures glaciales et l'air sec ont préservé le corps de cette femme inuit, morte vers 1475. Elle fut découverte au Groenland en 1972, avec cinq autres femmes, un enfant et un bébé. On sait que ce groupe n'est pas mort de faim, car on a trouvé de la nourriture dans leurs estomacs. La raison de leur décès et de leur sépulture commune reste un mystère.

◄ UN COSTUME FUNÉRAIRE EN JADE

Sous la dynastie Han (206 av. J.-C.-220 apr. J.-C.), les Chinois tentèrent de préserver le corps des empereurs et des nobles en les habillant d'un costume de jade, pierre verte associée à l'immortalité. Chaque costume comportait plus de deux mille petites plaques de jade, assemblées avec des fils d'or, d'argent ou de cuivre. Le jade échoua dans sa mission de préservation : les corps se décomposèrent, il ne resta que des os.

Shinyokai mourut volontairement de faim en 1788.

JAPON

CHINE

.GYPTE

La bouche béante est caractéristique des momies dani.

INDONÉSIE

De luxueux tissus habillent la momie.

DES MODÈLES ▲

Entre le XVIIe et le XIXe siècle, des prêtres japonais appartenant à la secte shingon, issue du bouddhisme, se momifièrent de leur vivant. Ils se privèrent de nourriture et avalèrent des poisons, qui, s'accumulant dans leur organisme, détruisirent les bactéries décomposant le corps après la mort. Les prêtres momifiés furent exposés dans des temples pour inspirer les autres.

Collier de ficelle

◄ UN LIEN AVEC L'AUTRE MONDE

Les Dani d'Irian Jaya (Indonésie) préservaient les corps de puissants chefs appelés «Grands Hommes» pour pouvoir continuer à leur demander aide et conseils. Ils les momifiaient en les faisant sécher au-dessus de feux. Le fumage, ancienne méthode de conservation des aliments, dessèche la chair et exerce une action antiseptique. Aujourd'hui, les Dani traitent ces momies de trois cents ans comme une attraction touristique, réclamant de l'argent à qui les photographie.

La peau tannée par la fumée ressemble au cuir.

@ ▸▸
Momie

Poivron
rouge frais

La chair
se déshydrate.

La chair
pourrit.

La peau
commence
à pourrir.

▲ LE POURRISSEMENT D'UN POIVRON

Les animaux et les plantes sont faits de milliards de cellules minuscules. Chacune, entourée d'une fine membrane, contient de l'eau et des enzymes – protéines grâce auxquelles elle transforme les nutriments. La mort intervient lorsque les cellules ne fonctionnent plus. Ensuite, les enzymes détruisent les membranes cellulaires, libérant l'eau. C'est la perte d'eau qui fait se flétrir ce poivron rouge.

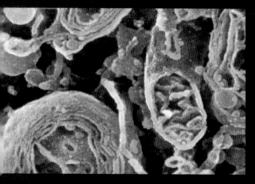

▲ LES ENZYMES DIGESTIVES

Après le décès d'une personne, les bactéries digestives commencent à se nourrir des intestins et des organes proches. Les lysosomes (ci-dessus), minuscules membranes présentes dans les cellules intestinales, déversent des enzymes digestives sur les aliments. Après la mort, les enzymes s'échappent des lysosomes, détruisent leur cellule et se dispersent, accélérant la décomposition du corps.

LA SCIENCE DE LA DÉCOMPOSITION

Après la mort, le corps commence généralement à se décomposer très rapidement. Nos intestins sont remplis de bactéries contrôlées par le système immunitaire. À notre mort, ces bactéries sont libres de manger le corps les abritant. Attirées, les mouches déposent des œufs autour des orifices du cadavre. Ces œufs se transforment en asticots, qui entrent dans le corps et se mettent à le consommer. Au fur et à mesure que le corps pourrit, il libère des gaz attirant plus de mouches et d'autres insectes. Dix jours peuvent suffire pour qu'un corps se réduise à ses os. Seules des conditions spéciales peuvent empêcher la putréfaction.

Les pieds sont complètement desséchés.

Le tatouage de la tempe est toujours visible.

◄ LE CORPS SALÉ

Les organismes responsables de la décomposition ont besoin de chaleur, d'oxygène et d'humidité pour vivre. S'il manque un de ces éléments, un corps peut être préservé naturellement. Vers l'an 1000, cet homme fut enterré dans le désert du Taklimakan (Chine), probablement en hiver, car les températures glaciales détruisent toute bactérie. Le taux élevé en sel du sol a ensuite desséché le corps et créé cette momie naturelle.

UNE MYSTÉRIEUSE MOMIE ▲

Parfois, des corps sont préservés pour des raisons inconnues. Voici les pieds de saint François Xavier, enterré en 1552 sur une île au large de la Chine. Son corps aurait été recouvert de chaux vive, qui accélère la décomposition, mais lorsqu'on l'exhuma, il était parfaitement conservé. Il est possible que des substances chimiques, dans le sol, aient détruit les bactéries. Pour les catholiques, il s'agit d'un miracle, signe de sa sainteté.

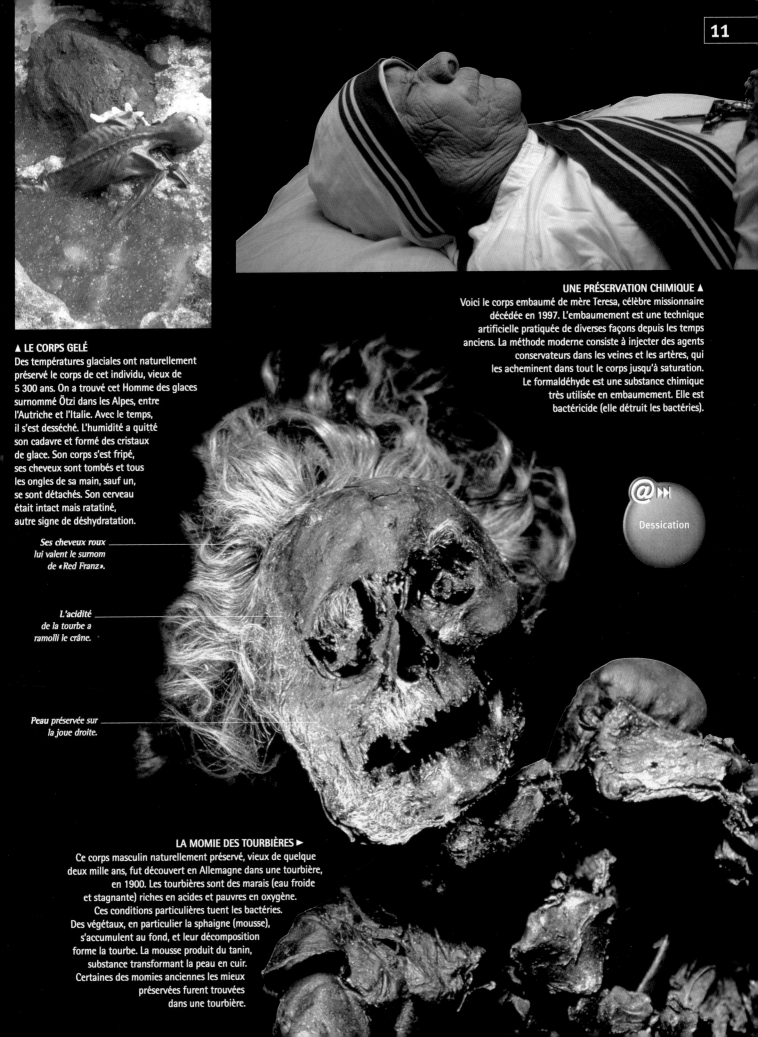

▲ LE CORPS GELÉ

Des températures glaciales ont naturellement préservé le corps de cet individu, vieux de 5 300 ans. On a trouvé cet Homme des glaces surnommé Ötzi dans les Alpes, entre l'Autriche et l'Italie. Avec le temps, il s'est desséché. L'humidité a quitté son cadavre et formé des cristaux de glace. Son corps s'est fripé, ses cheveux sont tombés et tous les ongles de sa main, sauf un, se sont détachés. Son cerveau était intact mais ratatiné, autre signe de déshydratation.

UNE PRÉSERVATION CHIMIQUE ▲

Voici le corps embaumé de mère Teresa, célèbre missionnaire décédée en 1997. L'embaumement est une technique artificielle pratiquée de diverses façons depuis les temps anciens. La méthode moderne consiste à injecter des agents conservateurs dans les veines et les artères, qui les acheminent dans tout le corps jusqu'à saturation. Le formaldéhyde est une substance chimique très utilisée en embaumement. Elle est bactéricide (elle détruit les bactéries).

@ ▶▶
Dessication

Ses cheveux roux lui valent le surnom de «Red Franz».

L'acidité de la tourbe a ramolli le crâne.

Peau préservée sur la joue droite.

LA MOMIE DES TOURBIÈRES ▶

Ce corps masculin naturellement préservé, vieux de quelque deux mille ans, fut découvert en Allemagne dans une tourbière, en 1900. Les tourbières sont des marais (eau froide et stagnante) riches en acides et pauvres en oxygène. Ces conditions particulières tuent les bactéries. Des végétaux, en particulier la sphaigne (mousse), s'accumulent au fond, et leur décomposition forme la tourbe. La mousse produit du tanin, substance transformant la peau en cuir. Certaines des momies anciennes les mieux préservées furent trouvées dans une tourbière.

L'ÉGYPTE ANCIENNE

Il y a cinq mille ans, les Égyptiens créèrent l'une des premières civilisations au monde, l'une des plus impressionnantes. Ils inventèrent une écriture, conçurent un calendrier et bâtirent d'imposants temples et tombeaux de pierre. Leur civilisation perdura trois mille ans, avec étonnamment peu de changements. Ils le devaient en partie au fait que l'Égypte était protégée des influences extérieures et des envahisseurs par de larges étendues de désert. Les Égyptiens pensaient vivre dans un monde parfait, contrôlé par des dieux et dirigé par leur représentant sur terre, le pharaon.

ÉGYPTE ANCIENNE

mer Méditerranée

ALEXANDRIE

Basse-Égypte — LE CAIRE (capitale actuelle)
GIZEH
SAQQARAH — MEMPHIS

Haute-Égypte — ABYDOS
VALLÉE — THÈBES
DES ROIS — (Louqsor)
EDFOU

ASSOUAN
(ville moderne)

ABOU-SIMBEL

mer Rouge

Nil

N

PÉRIODE DES MOMIES : v. 3200 av. J.-C.-392 apr. J.-C.

MOMIE LA PLUS ANCIENNE : trouvée à Saqqarah en 2003

LE PHARAON DIVINISÉ ►

Bien plus qu'un simple souverain, le pharaon était considéré comme un dieu vivant. Ainsi, Ramsès II (règne de 1279 à 1212 av. J.-C.) fut révéré comme l'incarnation d'Horus, dieu du Ciel. À sa mort, il fut momifié et assimilé à Osiris, père d'Horus et roi des Morts. Les Égyptiens pensaient que c'était grâce aux rituels religieux suivis par Ramsès II que la vie continuait en Égypte – le pharaon aidait le Nil à entrer en crue et les cultures à pousser.

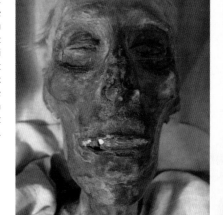

LE TEMPLE DE RAMSÈS ►

Ramsès II fit bâtir un grand temple à Abou-Simbel en Nubie (Soudan actuel), Haute-Égypte, pour impressionner les Nubiens. Creusé dans le roc, le vestibule est encadré de statues colossales du pharaon, qui y était vénéré avec trois autres dieux : Ptah, le Créateur, Amon, roi des dieux, et Rê (ou Râ), dieu Soleil. Des statues de Ramsès et des dieux se dressent dans le sombre sanctuaire, au fond du temple.

◄ LA TERRE DU NIL

La civilisation égyptienne dépendait du Nil traversant le Sahara, vaste désert du nord de l'Afrique. Chaque année, lors de la fonte des neiges des montagnes du Sud, le Nil entrait en crue, charriant du limon (fin dépôt fertile). Lorsque le niveau de l'eau baissait, le limon se déposait sur les rives, prêt à accueillir les cultures. Cela donnait aux Égyptiens la certitude de vivre dans un monde ordonné. Ils savaient que leur fleuve coulait toujours du sud vers le nord, et que le soleil se levait à l'est et se couchait à l'ouest.

◄ BÂTIR DES MONUMENTS EN PIERRE

Les Égyptiens enterraient leurs morts dans le Désert occidental, où se couchait le soleil. C'est là qu'ils érigèrent des tombeaux royaux, ainsi que les premiers monuments et statues de pierre les plus grands du monde. Ce sphinx colossal se dresse face à l'imposante pyramide funéraire du roi Khéphren (il vécut de 2558 à 2532 av. J.-C. environ), comme pour monter la garde. Il a le corps d'un lion, symbole de force, et la tête de Khéphren, pour représenter son pouvoir royal.

@ ▶▶
Égypte ancienne

La boucle
est symbole
de vie éternelle.

Le pilier djed
aux barres transversales
représente la stabilité.

La déesse vautour
Nekhbet protégeait
le pharaon.

Le sceptre ouas *à base*
fourchue et tête de chien
était symbole de pouvoir.

▲ LE DON DE VIE

Cette croix de vie *ankh* est une amulette (talisman)
trouvée entre les bandelettes d'une momie. Surmontée
d'une boucle, elle symbolise la vie éternelle.
Les peintures ornant les murs des temples représentent
souvent le pharaon recevant le signe *ankh* d'un dieu.
Il devenait aussi une puissante amulette, porté en
collier : les Égyptiens croyaient en ses pouvoirs de
protection. La plupart étaient illettrés (ne savaient
ni lire ni écrire), mais c'était un des rares signes
compris par tous.

Double couronne
de Haute et Basse-Égypte

Six statues
de Ramsès II,
hautes de 9 m

Entrée du sanctuaire qui
contenait les statues
de Ramsès II et des trois dieux.

L'ÉCRITURE ÉGYPTIENNE

Les Égyptiens inventèrent une écriture quelque
temps avant 3000 av. J.-C. Il existait deux styles
de base. Les hiéroglyphes («gravures sacrées»)
étaient des signes graphiques creusés ou
peints sur les murs. L'écriture hiératique
(sacrée) en était une variante abrégée,
destinée à être tracée rapidement sur le
papyrus (papier).

Les hiéroglyphes représentaient des sons et
des idées. Le hibou ci-contre signifie «dans»,
«venant de» et «avec». Il peut aussi remplacer
le son «m» dans d'autres mots.

Les Égyptiens appelaient leur écriture
medou-netjer, c'est-à-dire «la parole du dieu».

HIÉROGLYPHES

ÉCRITURE HIÉRATIQUE

LES PYRAMIDES D'ÉGYPTE

Les pyramides d'Égypte sont les monuments de pierre les plus grands et les mieux bâtis du monde antique. Chaque pyramide royale était le tombeau d'un pharaon ; à la différence du palais, construit en brique crue, la pyramide était érigée en pierre, afin de durer pour l'éternité. Les textes inscrits sur les parois des chambres funéraires suggèrent que l'édifice était aussi une «rampe de lancement» pour l'âme du pharaon, projetée dans le ciel, où il vivrait à tout jamais parmi les «étoiles impérissables».

PÉNÉTRER DANS LA GRANDE PYRAMIDE ▼
De tout temps, des récits ont évoqué les fabuleux trésors enfouis dans les pyramides. Entrées et passages étaient dissimulés derrière d'énormes blocs de pierre, mais, vers 1000 av. J.-C., toutes les pyramides connues avaient été pillées. À Gizeh, l'entrée de la pyramide de Khéops (ci-dessous) est toujours scellée ; les visiteurs y pénètrent par une cavité inférieure, creusée au IXᵉ siècle par le calife (chef islamique) al-Mamun.

Le parement en calcaire a été volé pour des édifices ultérieurs.

Les degrés formaient un escalier montant jusqu'aux dieux.

▲ LA PREMIÈRE PYRAMIDE

L'époque des pyramides débuta avec la construction d'une pyramide à degrés pour le pharaon Djéser, entre 2630 et 2611 av. J.-C. Haute de 61 m, c'était la première pyramide et le premier tombeau royal en pierre. Auparavant, les pharaons étaient enterrés dans des tombes en brique crue appelées mastabas. L'architecte de Djéser, Imhotep, eut l'idée révolutionnaire de superposer six mastabas en pierre de taille décroissante. Il obtint ainsi un grand «escalier» pour aider le pharaon à monter jusqu'au ciel.

L'ORIENTATION DES PYRAMIDES

LES CONSTELLATIONS
Certains historiens pensent que les pyramides furent bâties pour être alignées avec des constellations. Orion en particulier, que les Égyptiens associaient au dieu Osiris, roi des Morts. Cette constellation abrite trois étoiles brillantes formant la ceinture d'Orion. Le puits d'aération de la chambre funéraire de Khéops pointe dans cette direction, confirmant cette théorie.

LE COMPLEXE PYRAMIDAL DE GIZEH
En 1994, Robert Bauval et Adrian Gilbert affirmèrent que les pyramides formaient la même figure que les étoiles d'Orion. En fait, seules trois pyramides sont alignées avec les trois étoiles de la ceinture d'Orion. La plupart des experts pensent que le site fut choisi pour des raisons plus pratiques, comme la nécessité d'un soubassement plat pour les fondations.

▼ LA GRANDE PYRAMIDE DE KHÉOPS

Vers l'an 2550 av. J.-C., le pharaon Khéops (règne de 2589 à 2566 av. J.-C.) fit bâtir la Grande Pyramide, la plus imposante de toutes. Elle s'élève à 146 m et ses faces sont précisément orientées vers le nord, le sud, l'est et l'ouest. Chaque côté de la base mesure plus de 230 m mais, étonnamment, la différence entre le plus court et le plus long n'est que de 20 cm.

Pyramide

Au sommet, les 10 derniers mètres se sont érodés.

La pyramide de Khéops contient approximativement 2 300 000 blocs de calcaire.

LA CHAMBRE FUNÉRAIRE ▲

Au cœur de sa pyramide à Saqqarah, le pharaon Ounas (règne de 2375 à 2345 av. J.-C.) reposait dans un sarcophage noir, la couleur du sol fertile, prêt à renaître. Les parois de la chambre funéraire étaient couvertes de textes décrivant son voyage vers l'au-delà, comparant Ounas à une sauterelle bondissante ou à un faucon s'élevant dans le ciel. Elles portent aussi des formules magiques destinées à le protéger.

DANS LA GRANDE PYRAMIDE

Khéops changea deux fois d'avis sur l'agencement de sa pyramide. Des passages mènent à trois chambres, chacune devant initialement abriter le sarcophage du pharaon. D'étroits puits d'aération s'élèvent des deux chambres supérieures, vers la surface. Les premiers explorateurs nommèrent la deuxième chambre funéraire inachevée la Chambre de la Reine, sans qu'il y ait de rapport avec une souveraine.

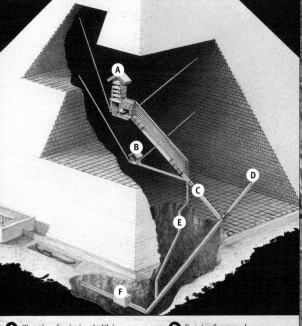

Ⓐ *Chambre funéraire de Khéops* Ⓓ *Entrée, face nord*
Ⓑ *Seconde chambre inachevée* Ⓔ *Puits de sortie des ouvriers*
Ⓒ *Grande Galerie* Ⓕ *Première chambre inachevée*

LES DIEUX MOMIES

La légende voulait que le dieu Osiris ait triomphé de la mort, et chaque Égyptien souhaitait suivre son exemple. Souverain juste, il fut assassiné par son frère malfaisant, Seth, qui découpa son corps en quatorze morceaux et les dispersa le long du Nil. Isis, veuve d'Osiris, les chercha patiemment et reconstitua le corps avec l'aide d'Anubis, dieu de la Momification. Ce fut la toute première momie. Par la magie, Isis et Anubis rendirent la vie à Osiris, qui devint le souverain éternel du royaume des Morts.

◄ REJOINDRE OSIRIS DANS L'AU-DELÀ
Osiris, gravé ci-contre sur une colonne du temple d'Horus, Sobek et Hathor à Kôm Ombo, jugeait l'âme des défunts avant qu'ils n'entrent dans son royaume. Dès une période ancienne, les Égyptiens pensèrent que leurs rois rejoignaient Osiris dans l'au-delà, et leurs cadavres furent embaumés comme l'avait été Osiris. Plus tardivement, ils crurent que chacun pouvait accéder à la vie éternelle, et tous les Égyptiens furent momifiés.

@ ►►
Divinité
égyptienne

SETH, DIEU DES TEMPÊTES
ET DU CHAOS ►
Seth, meurtrier d'Osiris, était le dieu des Tempêtes et du Chaos. C'était le seigneur des déserts et des pays étrangers, considérés par les Égyptiens comme des endroits hostiles. Seth était représenté comme un homme à tête d'animal aux oreilles carrées et au museau busqué (peut-être un oryctérope, sorte de fourmilier). Il est qualifié d'animal typhonien à cause de son identification ultérieure à Typhon, monstre de la mythologie grecque.

Horus est représenté avec une tête de faucon et un corps humain.

Seth tient un sceptre ouas, symbole de pouvoir.

◄ HORUS, DIEU DU CIEL
Connu comme le dieu du Ciel, Horus était le fils d'Osiris et d'Isis. Cette statuette montre Isis allaitant Horus bébé. Une fois adulte, il vengea la mort de son père en tuant Seth qu'il chassa d'Égypte, le condamnant à vivre dans le désert. Après cette victoire, Horus remplaça Seth comme souverain d'Égypte. Dès lors, il fut aussi le dieu de la Royauté. Chaque pharaon était considéré comme son incarnation et appelé Horus Vivant.

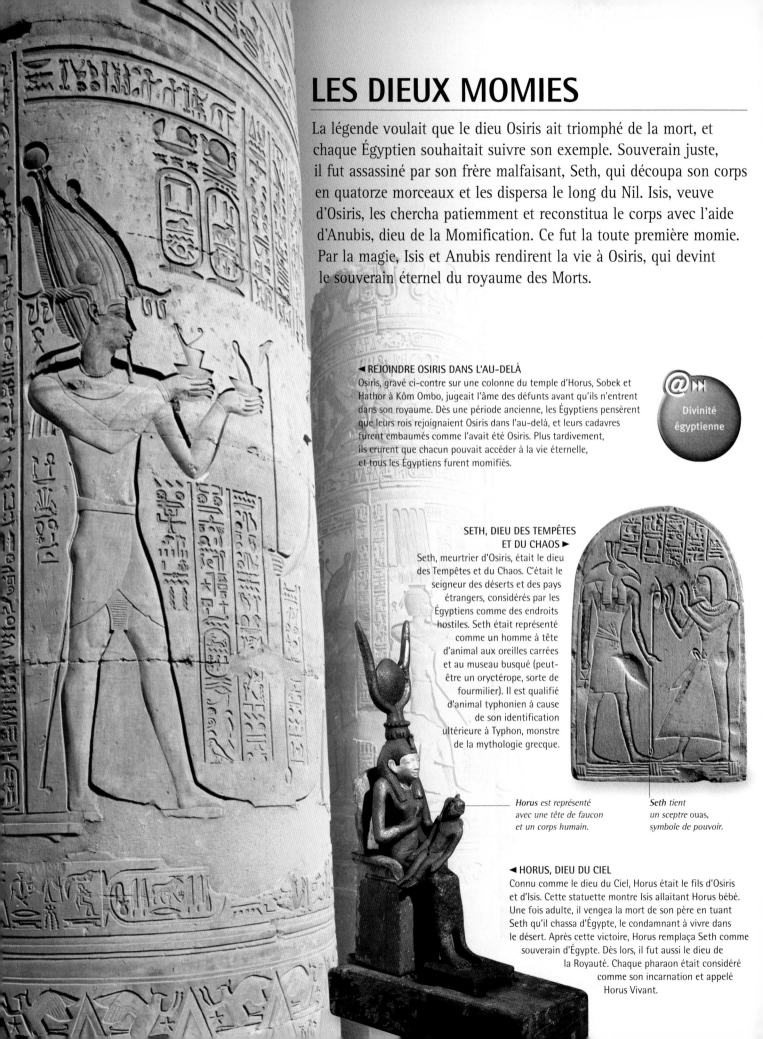

Oreilles pointues,
comme un chacal

Le noir était
la couleur de
la renaissance.

Collier,
comme un chien

▲ LE ROI DU MONDE SOUTERRAIN

Dans cette peinture tirée du *Livre des Morts,* Osiris trône comme souverain du monde souterrain et juge des morts. Thot, dieu de l'Écriture, se tient devant lui, notant ses jugements. Osiris était représenté emmailloté comme une momie, avec un visage noir ou vert. Ces deux couleurs étaient associées à la vie nouvelle. Le noir symbolise le fertile sol égyptien, le vert la végétation croissante. Osiris tient le fléau et le crochet, insignes royaux portés par les pharaons.

▲ ANUBIS, DIEU DE LA MOMIFICATION

Anubis était le dieu de la Momification et le protecteur des cimetières. Il était représenté comme un chien noir ou un chacal, ou encore un homme à tête de chien ou de chacal. L'hypothèse du chien s'appuie sur son collier et sur son rôle de gardien des chiens. Ses oreilles pointues, en revanche, suggèrent que c'était un chacal. Peut-être apparaissait-il sous cette forme pour empêcher les vrais chacals, des charognards, de troubler le repos des défunts.

DEVENIR IMMORTEL ▶

Avec l'aide des dieux, chaque Égyptien espérait devenir immortel. Ce pectoral (ornement couvrant la poitrine), porté par la momie de Toutankhamon, montre la transformation du pharaon en être immortel. Au centre se trouvent deux cartouches. Celui de gauche indique son nom de naissance, Toutankhamon. Celui de droite son nom de trône, Nebkheperoure. Les cartouches sont portés au ciel par le dieu scarabée Khépri, associé à la renaissance. Le disque solaire au sommet est Rê (ou Râ), dieu Soleil, accueillant Toutankhamon au paradis.

Rê (ou Râ), dieu Soleil,
ailes déployées en signe
de protection

Isis tient une aile
du scarabée.

Khépri, le dieu
scarabée

Nephtys, sœur d'Isis,
tient l'autre aile.

Le pharaon Ptolémée XII
soumettant les étrangers

Horus à tête
de faucon

Hathor,
épouse d'Horus

◀ LE TEMPLE D'HORUS

Le temple égyptien n'était pas un lieu de culte public. Il était considéré comme la maison du dieu, où des prêtres prenaient soin de sa statue. Ce temple d'Edfou était la demeure terrestre d'Horus. Chaque année, en décembre, une grande fête s'y tenait. Elle incluait un drame sacré : les prêtres rejouaient la lutte ayant opposé Horus à Seth. On pense qu'il s'agit de la première pièce de théâtre au monde.

Des statues d'Horus gardent
le pylône (portail cérémoniel).

LA VISION DE LA MORT

Les Égyptiens avaient développé une vision complexe de la vie et de la mort. Chaque homme était constitué de plusieurs éléments. Le plus évident était le corps physique, mais le nom et l'ombre étaient tout aussi réels et importants. Il existait aussi deux formes spirituelles, le *ka* et le *ba*. Après la mort, elles s'unissaient dans le monde souterrain pour former un troisième être spirituel, l'*akh*. C'est sous cette forme que le défunt revivait dans le monde souterrain, vu comme une terre semblable à l'Égypte.

▲ LE SOLEIL COUCHANT
On pensait que les morts vivaient dans l'Occident, le soleil disparaissant chaque soir à l'ouest pour rejoindre le monde souterrain. Sa réapparition à l'est, chaque matin, symbolisait renouveau et renaissance. Vivant près du Nil, les Égyptiens imaginaient que le soleil effectuait ses voyages diurne et nocturne dans une barque. Pour eux, le dieu Soleil Rê (ou Râ) était le grand créateur et le maître de la vie.

◄ LE CORPS PRÉSERVÉ
Les Égyptiens considéraient la mort comme une étape avant l'immortalité (vie éternelle) dans un cycle de vie. Pour que ce passage s'effectue avec succès, il fallait rendre le corps du défunt stable et durable. On y parvenait en le transformant en une momie que la magie ramenait à la vie. Cette momie était considérée comme un corps nouveau et parfait, qui durerait pour l'éternité.

Ces mains levées prouvent qu'il s'agit d'une statue ka.

LA FORCE VITALE ▶
Force vitale de chacun, le *ka* apparaissait à la naissance. Après le décès, il vivait dans la tombe, sa demeure. C'est lui qui recevait la plupart des offrandes faites au mort. On peut parfois voir le *ka*, symbolisé par deux mains levées, sur des statues figurant le défunt. Il s'y introduisait pour leur donner vie, tout comme le *ka* des dieux visitait leurs statues, dans les temples. Cette statue du *ka* du pharaon Hor date de 1700 av. J.-C. environ.

(1) De vraies bagues furent placées sur le masque de la momie.

(3) Plaque montrant Anubis, dieu de l'Embaumement.

(2) Nout, déesse du Ciel, étend ses ailes autour de la momie.

(4) Oushebti censé accomplir les tâches dans l'au-delà.

SCARABÉE

▲ PROTÉGER LE CŒUR
Ce scarabée est une amulette placée au-dessus du cœur pour le protéger. Pour les Égyptiens, le cœur était la principale partie du corps. Ils pensaient que c'était lui et non le cerveau qui abritait l'intelligence, et qu'il renfermait l'être moral : bonté ou méchanceté. C'était donc le seul organe à être replacé dans le corps momifié. Après la mort, dans le monde souterrain, on mettait le cœur à l'épreuve, et celui des hommes mauvais était dévoré.

▲ L'ESPRIT

On représentait le *ba* comme un oiseau à tête humaine, pour signifier la capacité de chacun de se déplacer et de changer de forme. Le *ba* restait dans la tombe la nuit, mais s'envolait chaque matin pour profiter de la brise. Il se rendait aussi dans le monde souterrain, où il retrouvait le *ka* pour former l'*akh*. C'est en tant qu'*akh* que le défunt au cœur pur habitait le monde souterrain.

◄ LE NOM

Pour les Égyptiens, le nom était un des éléments importants composant chaque homme. Un bébé ne vivait pas réellement tant qu'on ne lui avait pas donné de nom, et ceux dont le nom était oublié cessaient d'exister. C'est pourquoi les pharaons faisaient graver le leur sur tous leurs monuments, dans des ovales appelés cartouches. Le nom de certains fut effacé par des successeurs désireux de les supprimer dans l'au-delà.

Une corde magique protège le nom du pharaon.

Ces hiéroglyphes sont ceux du nom du pharaon Thoutmosis III.

@ ▶▶
Croyance religieuse

Peinture d'un corps mort

L'OMBRE ▲

Après la mort, l'ombre quittait le corps et pouvait se déplacer de façon autonome, à grande vitesse. Comme le *ka*, elle recevait des offrandes dans les tombes et les chapelles funéraires. Des prières étaient dites pour la protéger des démons cherchant à la dévorer. Détruire l'ombre de quelqu'un était un autre moyen de mettre fin à son existence

TRAVAILLEURS DE L'AU-DELÀ

Les Égyptiens voyaient l'autre monde comme une terre semblable à l'Égypte, où il fallait accomplir de pénibles travaux des champs. Pour l'éviter, ils étaient enterrés avec des statuettes appelées *oushebtis* ou «répondants» chargées de travailler à leur place. Ces *oushebtis* étaient couverts de formules magiques censées les rendre actifs. Voici une incantation typique : «Ô *oushebti*, si (nom du défunt) est appelé à réaliser toute tâche dans le royaume des morts – rendre les champs fertiles, irriguer la terre ou transporter du sable d'est en ouest –, tu diras : "Me voici, je vais le faire."»
Ces *oushebtis* (1250 av. J.-C.) appartenaient à la princesse Henoutmehyt. On la voit sur le côté du coffre, vénérant les fils d'Horus, dieux protégeant les organes des défunts.

Oushebti en bois porteur de formules magiques

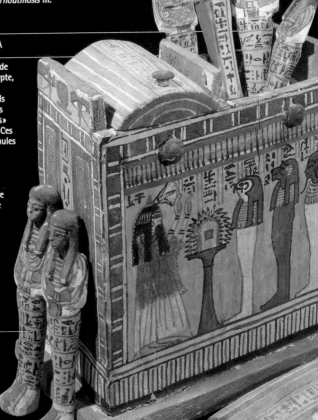

La momification égyptienne était une procédure technique complexe, dest
à préserver le corps. C'était aussi une série de rituels exécutés par les prêt
et un acte magique visant à reproduire la création de la toute première m
– Osiris embaumé par Anubis. Tout au long du processus de soixante-dix
des formules étaient récitées pour rendre la momification efficace. Fina
un des prêtres s'adressait à la momie : «Tu vas revivre, tu vas vivre
pour toujours. Vois, tu es à nouveau jeune, pour toujours.»

◄ LE MASQUE D'ANUBIS
Un prêtre connu comme
le Maître des Mystères était
chargé de la momification. Il portait
le masque d'Anubis, dieu à tête de chacal ou de
chien, et jouait son rôle. Il était assisté du Prêtre
lecteur, qui lisait les formules à haute voix,
et du Porteur de Sceau du Dieu. Ces derniers
supervisaient une équipe d'emmailloteurs,
qui accomplissaient les tâches de préparation
du corps physique.

◄ HÉRODOTE (484–420 AV. J.
Voyageur et historien grec, Hé
l'Égypte vers 450 av. J.-C. Il in
prêtres qui lui expliquèrent co
les cadavres. Il existait trois ty
momification, plus ou moins d
pouvaient s'offrir le traitemen
aromates, amulettes, bandelet
canopes. Les corps des moins a
simplement desséchés au natr
non emmaillotés, à leurs fami

1 LAVER LE CORPS
Le premier acte consistait à laver le corps à l'eau et au natron, sel
ramassé sur les rives des lacs égyptiens. Ce désinfectant avait aussi
un but rituel : purifier le mort. Ensuite un prêtre introduisait
une tige dans le nez pour percer le crâne. Des crochets servaient
à extraire le cerveau, qui était jeté. Puis le prêtre pratiquait
une incision dans le côté et ôtait les organes. Il gardait le cœur,
que l'on remettait ensuite en place. Intestins, estomac, foie
et poumons étaient conservés dans des vases canopes séparés.

*Un embaumeur
verse sur le corps
l'eau d'une cruche.*

*Le corps est purifié
par les flots d'eau.*

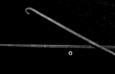

② DESSÉCHER LE CORPS

Le défunt, placé sur la table d'embaumement, était recouvert d'un tas de natron. L'intérieur du corps était bourré de sacs en lin remplis de natron, pour dessécher le corps et empêcher le développement des bactéries. Après quarante jours, le défunt était à nouveau lavé. Le cœur était replacé dans le corps, que l'on rembourrait à l'aide de bandelettes, de sacs de natron frais et d'aromates, dont myrrhe, cannelle et cassis. Une plaque en cire ornée de l'œil d'Horus cachait l'incision.

NATRON DANS UN SAC DE LIN

PLAQUE EN CIRE

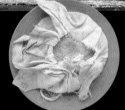

BÂTONS DE CANNELLE

MYRRHE

Les vases canopes contiennent les organes internes.

Des amulettes, placées entre les bandelettes, protègent la momie.

Le prêtre Anubis s'occupe de la momie emmaillotée.

③

②

①

③ EMMAILLOTER LE CORPS

Après rembourrage, on enduisait le corps de résine. Cette sève de conifère (pin ou sapin) protégeait la peau et la parfumait. Après quinze jours, le corps était enveloppé de longues bandelettes en lin, sur lesquelles on versait aussi de la résine. L'emmaillotage nécessitait jusqu'à vingt couches de tissu, alternant linceuls et bandelettes. Des amulettes (talismans) étaient glissées entre les bandelettes, chacune à un emplacement précis, dicté par les textes religieux.

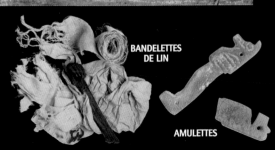

BANDELETTES DE LIN

AMULETTES

▲ LE CERCUEIL

Ce cercueil en bois, réalisé vers 600 av. pour un certain Djedbastioufankh, prés des scènes du processus de momificati Après l'emmaillotage du corps, on lui un nouveau visage et des yeux pour q puisse revoir. Cela pouvait être un ma à la momie, un visage sculpté sur le c ou les deux. Le défunt était prêt pou ses funérailles, où l'on prononcerait formules magiques pour lui rendre l

Vautour et cobra, représentant la Haute et la Basse-Égypte

Fausse barbe, emblème de la royauté

Coiffe nemes, autre symbole du statut royal de Toutankhamon

Verre et pierres de couleur sertis dans le pectoral et le masque en or massif

LES MASQUES ET LES CERCUEILS

Tout au long de l'histoire de l'Égypte, le style des masques, des cercueils et des sarcophages (coffres de pierre abritant les cercueils) a beaucoup évolué. D'abord rectangulaires, les cercueils prirent une forme humaine, le corps étant placé dans un seul ou plusieurs cercueils emboîtés. Mais l'usage de ces objets resta le même. Les Égyptiens considéraient le cercueil et le sarcophage comme des récipients magiques protégeant le corps et assurant sa survie dans la tombe et l'au-delà. Le cercueil à forme humaine jouait le rôle de corps de substitution, tout comme la momie qui portait un masque.

◀ UN MASQUE MAGIQUE

Ce masque en or couvrait la tête et les épaules de Toutankhamon. Les épaules et le dos portent des formules magiques destinées à protéger la momie. Elles identifient le pharaon défunt à Osiris, et les différentes parties du masque à différents dieux. Les incantations s'adressant au masque disent : «Ton front est celui d'Anubis, ta nuque est celle d'Horus [...]. Tu es devant Osiris.»

Momification

UN COFFRE À VÊTEMENTS ▶

Ce coffre en bois peint trouvé dans le tombeau de Toutankhamon contenait ses vêtements. Il est orné de scènes montrant le pharaon à la chasse et au combat. À la différence des masques et des cercueils, ce meuble a une fonction pratique plus que magique. Si les incantations des embaumeurs ramenaient le pharaon à la vie, il aurait besoin de ses habits et de tous ses biens précieux.

Toutankhamon conduisant son char

LA PRÊTRESSE PROTÉGÉE ▶

Voici le cercueil en bois d'une prêtresse de Thèbes morte vers 1000 av. J.-C. Sa momie élégamment emmaillotée ne porte aucun masque. Le couvercle sculpté et peint représente le nouveau visage de la prêtresse dans l'au-delà. La fonction protectrice du cercueil est indiquée par les dieux peints sur le couvercle. Leurs ailes de vautour déployées symbolisent enveloppement et protection.

Visage idéalisé de la prêtresse

Bras croisés dans l'attitude d'Osiris

Insigne rouge porté par les prêtres

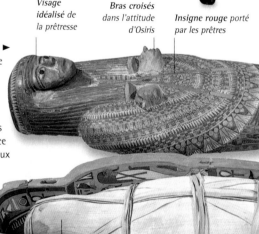

Un grand linceul en lin recouvre la momie emmaillotée.

Des formules magiques en hiéroglyphes sont inscrites sur le bas du cercueil.

Base du cercueil
intérieur

Visage juvénile en
or, comme le soleil

LA PROTECTION DES ORGANES

Comme le corps, les organes prélevés
durant la momification devaient être
protégés. Les Égyptiens savaient qu'ils
en auraient besoin dans l'au-delà, et
espéraient que la magie leur permettrait
d'en recouvrer l'usage.

Les organes étaient donc placés dans des
vases canopes, gardés par quatre dieux. C'étaient
les fils d'Horus : Amset, à tête humaine, veillait sur le
foie ; Hapi, à tête de babouin, sur les poumons ; Douamoutef,
à tête de chacal, sur l'estomac ; Qebehsenouef, à tête de faucon,
sur les intestins.

**COFFRET DE
RANGEMENT**

Ces vases sont dits canopes car on les croyait, à tort, associés
à la ville égyptienne de Canope, où l'on vénérait Osiris sous forme
d'une cruche à tête humaine.

FOIE   POUMONS   ESTOMAC   INTESTINS

Couvercle extérieur
orné de bandes, comme
une momie emmaillotée

◄ DES CERCUEILS GIGOGNES

Un masque couvrait entièrement la momie de la prêtresse Henoutmehit,
qui fut placée dans deux cercueils emboîtés. Les artisans qui les réalisèrent
lui donnèrent un visage juvénile, espérant lui rendre sa jeunesse dans l'autre
monde. Décorés à la feuille d'or, ils constituaient un écrin de luxe pour
l'au-delà. Ils étaient aussi un signe d'aisance, seuls les riches pouvant
s'offrir un tel cercueil. Les coffres gigognes offraient au corps une
sécurité supplémentaire, et davantage de protection magique
– il y avait plus de place pour inscrire les formules.

Base du cercueil
extérieur

Masque doré

Couvercle du
cercueil intérieur

Couvercle du cercueil extérieur

Sept dieux ailés
apparaissent
sur le couvercle.

Dieux du monde souterrain

Petite estrade
servant
de support
à la momie

Le lourd couvercle
de pierre offrait
une meilleure
protection contre
les pilleurs.

UN SARCOPHAGE ►

Un sarcophage est un grand coffre
de pierre accueillant cercueil ou momie.
Voici celui d'Ankh-hor. Gouverneur
de Haute-Égypte à la fin du VIIe siècle
av. J.-C., il était l'un des plus puissants
personnages du royaume. Le sarcophage
est en granit et des images d'Ankh-hor
vénérant les dieux y sont gravées.
Sarcophage est un mot grec signifiant
«mangeur de chair». Les Grecs croyaient,
à tort, que ce cercueil de pierre faisait
pourrir le corps qu'on y plaçait.

LES FUNÉRAILLES

La mort d'un pharaon était suivie de soixante-dix jours de deuil national, le temps de sa momification. Une fois prête à être inhumée, sa momie était déposée dans un cercueil, placé sur un brancard funéraire. Tiré par des bœufs jusqu'à la rive du Nil, ce traîneau était ensuite transporté en bateau jusqu'au Désert occidental. Les «Occidentaux», comme on appelait les défunts, étaient enterrés là où se couchait le soleil. Une grande procession funéraire accompagnait la momie. On y trouvait le nouveau pharaon, des prêtres et les membres de la famille royale. Il y avait un cortège similaire mais moins long pour l'enterrement des Égyptiens «ordinaires».

Rite funéraire

▲ LA PROCESSION
Cette procession funéraire est peinte sur un papyrus trouvé dans la tombe d'un noble, Hounefer. Devant le brancard transportant la momie, le prêtre *sem* brûle de l'encens et répand du lait sur le sol pour purifier la route. Des pleureurs, hommes et femmes vêtus de blanc, escortent le traîneau tiré par des bœufs. Un homme porte des biens funéraires. Offerts aux dieux, ils serviront au défunt dans l'au-delà. Les hommes à l'arrière tirent un second brancard abritant les vases canopes.

◄ LE PRÊTRE *SEM*
Un personnage appelé prêtre *sem*, reconnaissable à sa peau de léopard, exerçait une fonction prépondérante durant les funérailles. Une inscription présente dans la tombe d'Amenemhat et adressée au défunt en témoigne : «Ta purification est accomplie par le prêtre *sem.*» Arrivé au tombeau, il aspergeait le sol d'eau et brûlait de l'encens devant la momie. Lors des funérailles royales, le nouveau pharaon jouait souvent ce rôle.

Sistre agité (comme un hochet) lors des cérémonies

Cheveux détachés en signe de deuil

Rames pour diriger le bateau

Momie de femme abritée sous un dais

Jarres contenant des offrandes

Les pleureuses portaient des robes de lin blanc.

▲ TRAVERSER LE NIL
Les Égyptiens vivant près du Nil, tout long voyage se faisait en bateau. Ainsi, même pour le parcours terrestre de la procession funéraire, la momie était transportée sur un brancard en forme de barque. Des modèles réduits de barques, comme celui-ci datant de 1900 à 1850 av. J.-C. environ, étaient placés dans la tombe pour aider la momie à poursuivre son voyage à travers le monde souterrain.

LES PLEUREUSES ►
Même si l'on pensait que le mort allait revivre, les funérailles étaient une période de deuil. Des peintures ornant les murs de temples montrent des femmes regardant passer la procession. C'étaient des membres de la famille ou des professionnelles embauchées pour l'occasion. Pour témoigner de leur chagrin, elles déchiraient leurs vêtements, se couvraient la tête de cendres et levaient les bras au ciel en poussant de bruyants gémissements. Cette coutume perdure dans l'Égypte moderne.

▲ L'OUVERTURE DE LA BOUCHE

Après avoir placé la momie dans sa tombe, on la ramenait à la vie par le rituel de l'Ouverture de la bouche. L'héritier du défunt, ou un prêtre agissant en son nom, touchait ses yeux, ses oreilles, son nez et d'autres parties de son corps, pour restaurer par magie ses fonctions. Toucher sa bouche permettait à la momie de parler, de manger et de boire.

Herminette pour toucher le visage de la momie

OUTILS UTILISÉS PAR LE PRÊTRE POUR L'OUVERTURE DE LA BOUCHE

▲ PRÊT À MANGER

Cette peinture ornant une paroi de la tombe de Nebamoun montre les danseuses et musiciennes du banquet funéraire, après la cérémonie de l'Ouverture de la bouche. La momie, qui a repris vie sous sa forme *ka*, participe au festin avec les pleureuses. Ce banquet somptueux inclut vin, viande, fruits et pain.

Pyramide du pharaon Khéops à Gizeh

LA TOMBE ▶

Les tombeaux royaux étaient bien plus vastes que les tombes des Égyptiens ordinaires. Ils abritaient des trésors d'or et de pierres précieuses pour l'au-delà. Il fallait donc les fermer hermétiquement, comme cette pyramide de Gizeh, ou les creuser dans un endroit secret. Nombre de pharaons furent enterrés dans la Vallée des Rois, près de Louqsor, avant d'être déplacés par des prêtres dans une cache. Les offrandes n'étaient pas apportées au tombeau mais présentées à la statue du pharaon, dans un temple mortuaire indépendant.

Tombe de Seshemnufer, un noble

DANS L'AU-DELÀ

Avant de renaître dans l'au-delà, le défunt devait entreprendre un long et dangereux voyage, à travers un monde souterrain peuplé de monstres terrifiants. Il rencontrait aussi de nombreux dieux et devait réussir une épreuve pour prouver qu'il méritait de revivre. Des formules personnalisées étaient inscrites sur les parois de sa tombe et sur des papyrus enterrés avec lui. Sorte de guide de voyage, le *Livre des Morts* énumérait les dangers que le défunt croiserait et les paroles magiques à réciter pour se protéger et «sortir au jour».

◄ RENCONTRER LES DIEUX

Les Égyptiens pensaient que c'était Thot, dieu de la Magie et de l'Écriture, qui avait rédigé les formules nécessaires au voyage dans l'au-delà. C'était l'un des centaines de dieux rencontrés par le défunt. Beaucoup de formules citent leurs noms et ceux des monstres souterrains, indiquant la manière de s'adresser à eux pour obtenir leur aide ou les rendre inoffensifs. Les Égyptiens pensaient que connaître le nom de quelqu'un revenait à avoir un pouvoir sur lui.

Pagne porté par Thot pour montrer qu'il a un corps d'homme.

Défunt voyageant vers l'au-delà

Khépri, dieu de la Renaissance

Thot, dieu de la Magie et de l'Écriture

▲ LE VOYAGE EN BARQUE

Les Égyptiens pensaient que chaque nuit, après s'être couché à l'ouest, le soleil traversait le monde souterrain en barque pour renaître dans le ciel oriental. Les morts en profitaient pour embarquer avec lui. On voit ci-dessus le défunt debout à l'arrière de la barque solaire. Khépri, dieu scarabée de la Renaissance et du Parcours solaire, se trouve au centre. On pensait qu'il faisait avancer le soleil comme un scarabée fait rouler une boulette de bouse.

▲ LA PESÉE DU CŒUR

Anubis, dieu de la Momification, supervisait l'épreuve clé de la Pesée du cœur. Si le cœur était plus léger que la plume de vérité, cela signifiait que le défunt avait mené une vie juste et était autorisé à vivre pour l'éternité. S'il était plus lourd, cela signifiait qu'il avait mené une mauvaise vie et qu'il avait échoué. Les cœurs lourds étaient jetés à Ammit la «Dévoreuse», mélange de crocodile, de lion et d'hippopotame. En réalité, la déesse restait toujours sur sa faim, car tous les papyrus illustrent une épreuve réussie.

(1) *Le défunt, vêtu de blanc, est mené vers la balance où son cœur sera pesé.*

(2) *Anubis, tenant le signe de vie ankh, conduit le défunt.*

(3) *Ajustement de la balance par Anubis pour une pesée précise.*

(4) *Ammit la «Dévoreuse» observe pour voir si on va lui jeter un cœur lourd.*

(5) *Thot note que le cœur est plus léger que la plume.*

(6) *Horus, tenant la clé ankh de la main gauche, mène le défunt vers Osiris.*

DEUX MONDES ▶
Les Égyptiens considéraient
l'endroit où vivaient les défunts
comme un monde parallèle « visité »
la nuit par le soleil. Lorsque celui-ci
baissait dans un monde, il s'élevait
dans l'autre. Cette peinture
ornant le plafond de la chambre
funéraire de Ramsès IX montre
les deux mondes, séparés par
deux silhouettes étirées de Nout,
déesse du Ciel. La série de disques
rouges placée à travers le corps de
Nout, au centre de la peinture,
représente le parcours du soleil.

Croyance
religieuse

*Épouse
du défunt*

*Le défunt se tient
devant Osiris.*

*Offrandes (nourriture
et vin) pour Osiris*

*Osiris assis
sur son trône*

▲ RENCONTRER OSIRIS
Ce papyrus trouvé dans la tombe d'un noble montre la fin
du voyage vers l'au-delà. Le défunt se tient devant Osiris, mains
levées en signe d'adoration. Posséder ce rouleau de papyrus
qui servait à la fois de guide de voyage et de passeport était
la garantie d'être accueilli par Osiris. Les hiéroglyphes indiquent
que le défunt demande à être accepté dans le royaume d'Osiris.

LES CHAMPS D'IALOU ▶
Après leur sombre voyage à travers le monde souterrain,
les défunts s'élevaient avec le soleil et se retrouvaient au
paradis, les Champs d'Ialou. Dirigé par Osiris, ce royaume
était une sorte de version parfaite de l'Égypte. Il n'y avait
ni maladie ni nuisibles mangeant les récoltes,
qui poussaient très haut et en abondance. L'au-delà
égyptien était un endroit merveilleux.

LES MOMIES ANIMALES

Les momies égyptiennes les plus courantes ne sont pas celles d'hommes mais d'animaux – chats, chiens, crocodiles, oiseaux... Certains étaient des animaux de compagnie, comme le singe enterré avec la princesse Maatkare vers 1000 av. J.-C. À partir de 700 av. J.-C., les prêtres réalisèrent des momies animales, vendues aux fidèles qui les déposaient devant les temples, en offrande aux dieux. C'était une grande source de revenus pour les temples. La demande était telle que ces momies étaient parfois fausses. Les rayons X ont révélé que certaines contiennent de la boue, de la paille et quelques os, au lieu de vraies dépouilles.

▲ D'ANTIQUES PUISSANCES

Dans l'Égypte ancienne comme aujourd'hui, les crocodiles vivaient sur les rives du Nil. Les Égyptiens craignaient leur férocité et les associaient à Sobek, dieu du Nil. Sobek était représenté comme un crocodile ou un homme à tête de crocodile. Les adorateurs désireux d'obtenir son aide lui offraient la momie d'un crocodile, achetée dans un de ses temples. Le plus grand crocodile momifié jamais trouvé est long de 4,60 m.

◄ DES CROCODILES MOMIFIÉS

Les crocodiles étaient momifiés en grand nombre à Kôm Ombo, où Sobek partageait un grand temple avec Horus, et à Shedet, renommée Crocodilopolis (« Cité des crocodiles ») par les Grecs. Le temple de Sobek à Shedet ressemblait à un zoo, des prêtres étant chargés d'élever, de soigner et de momifier les animaux sacrés. Les crocodiles étaient nourris avec de la viande de qualité et parés de bijoux en or. Œufs et bébés crocodiles étaient aussi vendus pour être offerts au dieu Sobek.

Couronne atef à plumes d'Osiris portée par Sokar à tête de faucon

DES DIEUX ANIMAUX ►

Les dieux pouvaient avoir les caractéristiques de plusieurs animaux. Sur cette peinture ornant une tombe de Thèbes, la déesse mère Opet est représentée comme un hippopotame à queue de crocodile. La figure derrière elle est Hathor, déesse protectrice analogue à une déesse mère. Avec le temps, les dieux endossaient souvent le caractère et le rôle d'autres dieux. Dieu à tête de faucon, Sokar était vénéré à Memphis où on le considérait comme le protecteur des tombes. À la longue, on l'identifia à Osiris, roi des Morts. Sur cette peinture, il adopte la forme combinée d'Osiris-Sokar.

◄ UNE MUSARAIGNE SACRÉE

Un dieu pouvait avoir plus d'un animal sacré. Ainsi, la déesse Ouadjet était associée au cobra, au lion, à la musaraigne et à l'ichneumon, une espèce de mangouste. Actif le jour, ce mammifère représentait la déesse durant la journée. La musaraigne, animal nocturne, la représentait la nuit venue ; elle était aussi consacrée à Horus.

Coffret en bronze abritant une musaraigne momifiée

Lin peint d'écailles et de nageoires

DU POISSON POUR UNE DÉESSE ▲

Les poissons étaient sacrés à Mendès, où la déesse poisson Hatmehit était vénérée, ainsi qu'à Oxyrhynchus, dont le nom vient d'une espèce de poisson. L'oxyrhynchus était sacré car les Égyptiens le pensaient né des blessures d'Osiris, dont le corps avait été éparpillé dans le Nil par Seth. Les momies de poissons, dont certaines espèces ne peuplent plus le fleuve, contribuent à créer un tableau de la faune de l'Égypte ancienne.

Des feuilles d'or recouvrent le corps en bois.

◄ UN IBIS DORÉ

L'ibis était un oiseau consacré à Thot, dieu de la Sagesse. On a retrouvé des millions de momies d'ibis dans des chambres funéraires, à Saqqarah. C'étaient des offrandes, non à Thot, mais à Imhotep, architecte de la première pyramide des lieux. Célèbre pour sa sagesse, Imhotep devint, avec le temps, un dieu de la Guérison. Les ibis étaient déposés par des malades ou des gens souhaitant le remercier de les avoir guéris.

Pieds et tête en bronze

Bande de lin enroulée autour du cou comme un collier

Momie animale

LE CHAT SACRÉ

Les momies animales les plus courantes sont peut-être celles de chats, élevés en grand nombre pour être momifiés. On en trouva tant que, au XIXᵉ siècle, on les envoya par bateau à l'étranger pour les réduire en poudre et en faire de l'engrais. Le chat était consacré à Bastet, déesse mère protectrice vénérée à Boubastis. Ce chat momifié dont les bandelettes de lin dessinent un motif compliqué est trompeur : il contient la tête d'un chat adulte et le corps d'un chaton de quatre mois. Il date du IIᵉ ou du Iᵉʳ siècle av. J.-C. La plupart des momies de chats renfermaient un corps entier et étaient plus larges en bas qu'en haut. Elles étaient placées dans un cercueil en forme de chat – en bois, en bronze ou en argile.

CHAT MOMIFIÉ

CERCUEILS DE CHATS EN BOIS

DES OFFRANDES ►

Les momies de chiens étaient offertes à deux dieux : Anubis et Oupouaout. Tous deux prenaient la forme d'un chacal ou d'un chien. Anubis était le dieu de la Momification. Oupouaout était celui qui ouvrait les voies, comme celle des conquêtes étrangères pour un pharaon. Anubis était vénéré à Hardaï, nommée Cynopolis (« Cité des chiens ») par les Grecs. Le temple d'Oupouaout était situé à Assiout, que les Grecs appelaient Lykopolis (« Cité des loups »).

LE TAUREAU APIS

Les Égyptiens pensaient que Ptah le Créateur venait sur terre sous la forme d'un taureau, vénéré comme un dieu à Memphis. Il est connu comme le taureau Apis, version grecque de son nom égyptien, *Hap*. À la mort d'un taureau Apis, on pensait que le dieu intégrait le corps d'un autre taureau, reconnu aux marques spéciales de son pelage, de sa queue et de sa langue. Le taureau Apis mort était momifié et reposait ensuite au Serapeum de Saqqarah, vaste réseau de catacombes (chambres funéraires souterraines).

Relief en calcaire
(Thèbes) montrant
un veau nouveau-né

▲ AU DÉFILÉ

Le taureau Apis faisait des apparitions publiques lors de fêtes. Il était à la tête de processions empruntant les rues de la ville, et on le montrait au public à travers la Fenêtre d'Apparitions, élément cérémoniel des palais royaux. En le voyant, les gens étaient persuadés de contempler un puissant dieu vivant. Ses adorateurs demandaient conseil au taureau, dont les prêtres expliquaient les «réponses».

◄ UN NOUVEAU VEAU APIS

À la mort d'un taureau Apis, on examinait tous les veaux nouveau-nés d'Égypte pour trouver celui qui portait les marques adéquates. Les Égyptiens pensaient que l'animal était conçu par magie lorsque le dieu Ptah projetait un éclair sur une vache donnée. En tant que mère du dieu, cette dernière était aussi considérée comme sacrée. On prenait soin d'elle au temple d'Apis, et on la momifiait à sa mort.

Couronne
du taureau sacré

STATUETTE EN
BRONZE D'UN
TAUREAU BUCHIS

LES CULTES DU TAUREAU SACRÉ ▶

Le taureau Apis était un des taureaux faisant l'objet d'un culte. Ainsi, on pensait que le taureau Buchis était la manifestation du dieu de la Guerre Montou, et on le vénérait dans un temple à Hermonthis, au sud de Louqsor. Selon l'écrivain latin Macrobe, le taureau changeait de couleur toutes les heures et ses poils poussaient à l'envers! Les taureaux Buchis étaient momifiés et enterrés dans les sépultures souterraines du Bucheum, découvert en 1927.

DES VACHES SACRÉES

Le taureau Apis, comme d'autres dieux taureaux et déesses vaches, était censé guider le défunt vers l'au-delà et le protéger. Sur ce papyrus, un défunt du nom de Maiherperi prie plusieurs vaches et un taureau sacrés, demandant leur aide. Le nom de chaque animal est inscrit au-dessus de lui, et une table d'offrandes se trouve devant chacun d'eux. Les animaux sacrés écoutent attentivement, les yeux rivés sur Maiherperi.

Ce papyrus fait partie d'un ensemble de formules enterrées avec Maiherperi pour l'aider dans son voyage vers l'au-delà. Porteur d'éventail royal, Maiherperi mourut entre vingt et trente ans, vers 1390 av. J.-C. Sa peau noire indique qu'il venait de Nubie.

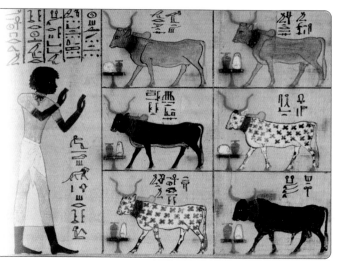

Niche pour les
inscriptions votives

DES MARQUES SACRÉES ►

Selon l'historien grec Hérodote, le taureau Apis était noir avec un carré ou un triangle blancs sur le front, les poils de la queue doubles, le dessin d'un aigle sur le dos et celui d'un scarabée sous la langue. Cependant, des stèles en pierre et des peintures représentent des taureaux Apis blanc et noir. Ce taureau porte un uræus (cobra protecteur sacré) dressé entre ses cornes.

Momie animale

Disque solaire
du dieu Rê (Râ)

Taureau Apis tacheté
de noir et de blanc

▼ LES FUNÉRAILLES DU TAUREAU APIS

Les taureaux Apis étaient momifiés et enterrés dans de massifs sarcophages entreposés dans le Serapeum bâti sous Ramsès II (règne de 1279 à 1212 av. J.-C.). Lorsqu'on le découvrit, en 1851, les voleurs antiques n'avaient épargné qu'un sarcophage. Une seconde série de catacombes, trouvée plus tard dans une autre zone du Serapeum, contenait deux autres momies intactes. Ces catacombes abritent des niches, renfoncements dans lesquels les adorateurs laissaient des inscriptions votives (messages aux dieux).

**MOMIE DE VEAU,
30 AV. J.-C.**

*Yeux peints sur
les bandes de lin*

*Bandelettes de lin
au motif décoratif*

*Le corps est
emmailloté
pour donner
l'impression que
le veau est assis.*

*Entrée des catacombes
abritant les taureaux
momifiés*

▲ LE TAUREAU MOMIFIÉ

Les veaux issus d'un taureau sacré étaient momifiés. La plus ancienne momie de taureau Apis jamais trouvée, datant de 1300 av. J.-C. environ, ne contenait qu'un crâne et des os brisés. On a suggéré qu'il avait été mangé à titre cérémoniel par le pharaon et les prêtres. Cependant, des écrits nous ont appris que, plus tardivement, le taureau était entièrement momifié.

LES DERNIÈRES MOMIES D'ÉGYPTE

En 332 av. J.-C., Alexandre le Grand conquit l'Égypte et fut couronné pharaon. Nombre de ses sujets macédoniens et grecs s'installèrent en Égypte. Ils y établirent une nouvelle civilisation, combinant les influences grecques et égyptiennes. Cette civilisation hellénistique perdura sous les Romains, qui conquirent l'Égypte en 30 av. J.-C. Ce mélange d'influences est visible dans les momies de cette période, associant momification égyptienne et portrait réaliste du défunt. Ce furent les dernières momies égyptiennes et peut-être les plus beaux portraits du monde antique.

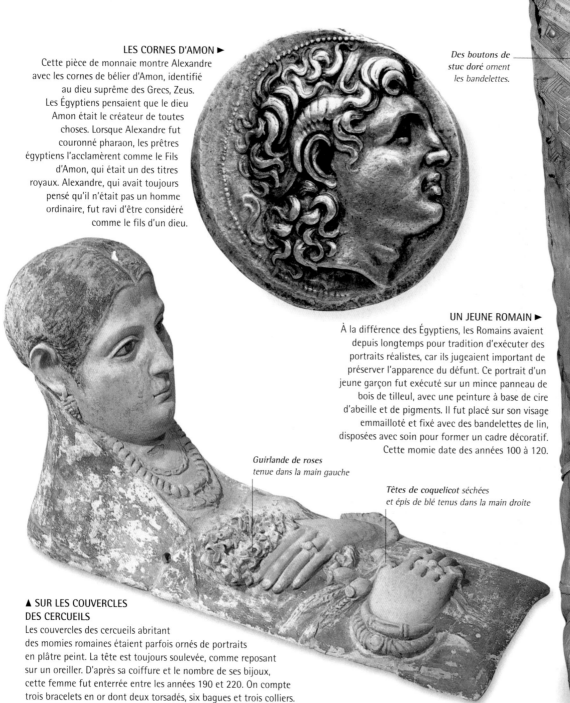

Les cils sont peints un à un.

Des boutons de stuc doré ornent les bandelettes.

LES CORNES D'AMON ▶
Cette pièce de monnaie montre Alexandre avec les cornes de bélier d'Amon, identifié au dieu suprême des Grecs, Zeus. Les Égyptiens pensaient que le dieu Amon était le créateur de toutes choses. Lorsque Alexandre fut couronné pharaon, les prêtres égyptiens l'acclamèrent comme le Fils d'Amon, qui était un des titres royaux. Alexandre, qui avait toujours pensé qu'il n'était pas un homme ordinaire, fut ravi d'être considéré comme le fils d'un dieu.

UN JEUNE ROMAIN ▶
À la différence des Égyptiens, les Romains avaient depuis longtemps pour tradition d'exécuter des portraits réalistes, car ils jugeaient important de préserver l'apparence du défunt. Ce portrait d'un jeune garçon fut exécuté sur un mince panneau de bois de tilleul, avec une peinture à base de cire d'abeille et de pigments. Il fut placé sur son visage emmailloté et fixé avec des bandelettes de lin, disposées avec soin pour former un cadre décoratif. Cette momie date des années 100 à 120.

Guirlande de roses tenue dans la main gauche

Têtes de coquelicot séchées et épis de blé tenus dans la main droite

▲ SUR LES COUVERCLES DES CERCUEILS
Les couvercles des cercueils abritant des momies romaines étaient parfois ornés de portraits en plâtre peint. La tête est toujours soulevée, comme reposant sur un oreiller. D'après sa coiffure et le nombre de ses bijoux, cette femme fut enterrée entre les années 190 et 220. On compte trois bracelets en or dont deux torsadés, six bagues et trois colliers.

▲ UN PORTRAIT DU DÉFUNT ?

Comme sur la plupart des portraits de momies romaines, ce jeune homme (des années 80 à 120) et cette femme (des années 160 à 170) semblent en bonne santé. On suppose souvent que les portraits étaient réalisés du vivant du sujet. Mais l'âge qu'affiche le portrait correspond souvent à celui du défunt. Nombre de portraits sont ceux d'enfants, morts subitement avant qu'on puisse les faire poser. Il est probable que beaucoup de portraits ont été peints après le décès.

LA MOMIFICATION À L'ÉPOQUE ROMAINE

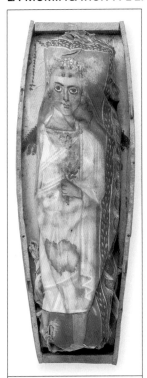

LINCEUL DE MOMIE

La momie de ce petit garçon a bénéficié d'un portrait en pied, peint sur le linceul. Cette pièce de toile faisait partie de l'équipement funéraire. Le portrait a dû être réalisé après la mort. La tunique et l'étrange coiffure bouclée permettent de dater la momie des années 230 à 250. Les scanographies montrent que ce garçon avait de huit à dix ans.

MOMIFICATION GROSSIÈRE

Si les «derniers» embaumeurs prenaient grand soin de l'apparence de la momie, leurs méthodes de préservation du corps étaient souvent moins sophistiquées. Les corps, comme celui de cette petite fille, étaient simplement recouverts d'une grande quantité de résine. Beaucoup se décomposaient avant même d'être momifiés.

▼ LE THÉÂTRE ROMAIN DE KÔM EL-DIK

Alexandrie, port méditerranéen fondé par Alexandre le Grand, était la capitale de l'Égypte grecque et romaine. Ce théâtre fut bâti par les Romains au centre d'Alexandrie. Il est de style romain, avec des colonnes droites au lieu des colonnes cintrées présentes dans les temples égyptiens. Cet édifice accueillait des représentations musicales et théâtrales, et des concours de lutte. Le marbre blanc des gradins fut importé d'Italie, et le marbre vert des colonnes d'Asie Mineure (Turquie actuelle). L'Égypte faisait désormais partie du vaste monde méditerranéen.

Gradins en marbre accueillant entre 700 et 800 spectateurs

UN EMPEREUR MET FIN À LA MOMIFICATION

Lorsque l'Empire romain devint chrétien, au IVe siècle, la demande de momification déclina. Les chrétiens avaient leur propre idée de l'au-delà, ne nécessitant pas la préservation du corps.

Une série d'empereurs chrétiens supprimèrent les religions païennes dont ils considéraient les dieux, tels Amon et Osiris, comme des démons. Leurs statues furent détruites et l'on grava des croix chrétiennes sur les murs des temples. Enfin, en 392, l'empereur Théodose le Grand (règne de 379 à 395) bannit toutes formes de culte païen. À l'époque, la pratique égyptienne de la momification, vieille de trois mille ans, s'était probablement déjà éteinte.

LES PILLEURS DE TOMBES

Masques et amulettes en or devaient protéger les momies royales, mais ces mêmes trésors attirèrent les voleurs. Presque tous les tombeaux de la Vallée des Rois furent pillés. Des comptes rendus d'audience montrent que les voleurs travaillaient en bandes organisées de sept ou huit hommes, dont des tailleurs de pierre, pour ouvrir le sarcophage royal, et un forgeron qui fondait dans son fourneau les métaux volés. Un batelier les attendait pour les emmener sur l'autre rive du Nil. Ils allaient ensuite vendre leurs trésors dans la ville de Thèbes.

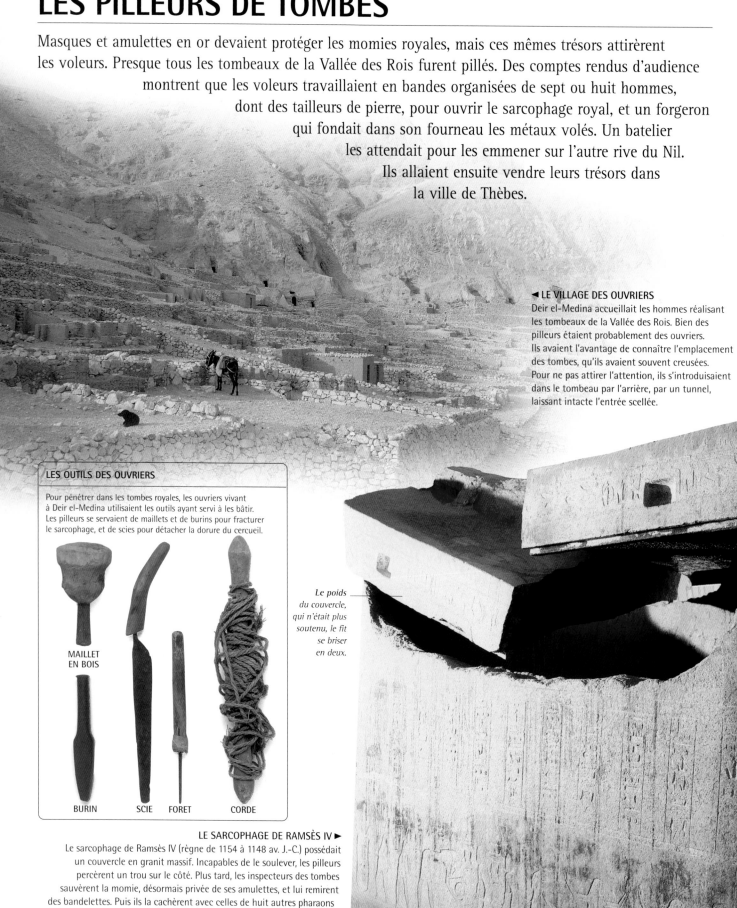

◀ **LE VILLAGE DES OUVRIERS**
Deir el-Medina accueillait les hommes réalisant les tombeaux de la Vallée des Rois. Bien des pilleurs étaient probablement des ouvriers. Ils avaient l'avantage de connaître l'emplacement des tombes, qu'ils avaient souvent creusées. Pour ne pas attirer l'attention, ils s'introduisaient dans le tombeau par l'arrière, par un tunnel, laissant intacte l'entrée scellée.

LES OUTILS DES OUVRIERS

Pour pénétrer dans les tombes royales, les ouvriers vivant à Deir el-Medina utilisaient les outils ayant servi à les bâtir. Les pilleurs se servaient de maillets et de burins pour fracturer le sarcophage, et de scies pour détacher la dorure du cercueil.

MAILLET EN BOIS

BURIN   SCIE   FORET   CORDE

Le poids du couvercle, qui n'était plus soutenu, le fit se briser en deux.

LE SARCOPHAGE DE RAMSÈS IV ▶
Le sarcophage de Ramsès IV (règne de 1154 à 1148 av. J.-C.) possédait un couvercle en granit massif. Incapables de le soulever, les pilleurs percèrent un trou sur le côté. Plus tard, les inspecteurs des tombes sauvèrent la momie, désormais privée de ses amulettes, et lui remirent des bandelettes. Puis ils la cachèrent avec celles de huit autres pharaons dans le tombeau d'Aménophis II, que des explorateurs européens découvrirent en 1898.

◄ **L'INSPECTEUR DES TOMBES**

Les prêtres d'Amon étaient chargés de protéger les tombes. Ils ne pouvaient empêcher le vol mais faisaient régulièrement des tours d'inspection quand leurs scribes notaient un signe d'effraction. Décrivant le pillage de tombes d'Égyptiens ordinaires, un scribe écrivit : «Les voleurs les avaient toutes violées, traînant leurs propriétaires hors de leurs cercueils et les laissant dans le désert.»

Scribe
au rouleau
de papyrus

Le haut du visage
n'est plus que peau
– le crâne manque.

La tête fut
séparée du corps.

▲ **UN TRÉSOR BIEN PROTÉGÉ**

Lorsqu'ils apprenaient qu'une tombe royale avait été pillée, les prêtres d'Amon en sortaient la momie et tout trésor laissé par les voleurs. Ce coffret incrusté de lamelles d'ivoire fut sauvé du tombeau de Ramsès IX (règne de 1125 à 1107 av. J.-C.). Il fut placé, avec quarante momies royales et une grande partie de leurs biens, dans un tombeau secret de Deir el-Bahari (Vallée des Reines), où on le découvrit en 1881.

▲ **LA POLICE DE LA NÉCROPOLE**

Les inspecteurs des tombes avaient le pouvoir de battre et de torturer les suspects de vol, pour les faire avouer et donner le nom de complices. On a retrouvé beaucoup de ces aveux rédigés sur papyrus. Un voleur reconnaissait : «Je continue à ce jour à pratiquer le vol de tombes de nobles et de gens de la terre reposant à l'Occident. Et un grand nombre d'autres les volent aussi.»

Pillage
de tombe

RAMSÈS VI ▲

Aucune momie royale ne fut plus gravement endommagée par des pilleurs que celle de Ramsès VI (règne de 1144 à 1136 av. J.-C.). Lorsqu'elle fut découverte en 1898, il manquait le bras droit et le crâne (sauf la mâchoire inférieure). Des artisans antiques avaient tenté de rendre son apparence à la momie en rassemblant les os. Certains manquant, ils ajoutèrent les mains de deux autres momies, ce qui lui en faisait trois en tout.

STATUE DE
THOUTMOSIS III

SCULPTURE
D'AMÉNOPHIS II

MOMIE DE
THOUTMOSIS III

▲ THOUTMOSIS III
Celui qui fut peut-être le plus grand de tous
les pharaons régna de 1479 à 1425 av. J.-C. Il mena
les armées d'Égypte en Asie occidentale, où il conquit
un empire s'étendant jusqu'à l'Irak actuel. Haut de 1,50 m
seulement, Thoutmosis fut surnommé le Napoléon égyptien,
l'empereur des Français (1769-1821) étant un autre
conquérant de petite taille.

MOMIE
D'AMÉNOPHIS II

▲ AMÉNOPHIS II
Fils de Thoutmosis III, Aménophis II
régna de 1425 à 1401 av. J.-C. Il débuta
son règne par des campagnes militaires
en Syrie et en Nubie, assurant la sécurité de
l'empire fondé par son père et l'élargissant.
Les dix-sept dernières années de son règne
furent une période de paix et de prospérité. Avec
son 1,60 m, il était bien plus grand que son père.

LES PHARAONS CÉLÈBRES

Vers 1000 av. J.-C., les prêtres d'Amon réunirent les momies royales
dont les tombes avaient été pillées, et les ensevelirent dans deux caches
(lieux secrets). Treize furent placées dans le tombeau d'Aménophis II,
et quarante dans un hypogée – construction souterraine – à Deir el-Bahari.
Les pharaons y reposèrent paisiblement près de trois mille ans, avant
d'être trouvés au XIXe siècle par des explorateurs. Cette découverte
stupéfiante nous permet de contempler les visages momifiés de célèbres
souverains du monde antique et de les comparer à leurs statues idéalisées.

◄ THOUTMOSIS LE BÂTISSEUR
Thoutmosis III se servit des richesses de l'empire qu'il avait conquis pour
se lancer dans un grand programme de construction. Il agrandit le temple
d'Amon à Karnak, au nord de Thèbes. Il dressa cet obélisque (monument
en forme d'aiguille) en l'honneur d'Amon. La pointe de l'obélisque symbolisait
les rayons du soleil ; dorée à l'origine, elle brillait en renvoyant sa lumière.

@ ▶▶
Pharaon

CERCUEIL EN
BOIS DE SÉTI Ier

STATUE DE
RAMSÈS II

MOMIE DE SÉTI Ier

▲ SÉTI Ier
Séti Ier régna de 1294 à 1279 av. J.-C.
Il parvint à anéantir la menace des
Hittites, qui vivaient dans la Turquie
actuelle et dont l'empire s'élargissait.
Le portrait ci-dessus est peint sur le cercueil
en bois de Séti. Dépouillé par les voleurs de son
revêtement en or, il fut peint en blanc par les
restaurateurs, qui dessinèrent ensuite en noir
les traits du pharaon. De toutes les momies
royales, c'est celle de Séti dont le visage
est le mieux préservé.

MOMIE DE
RAMSÈS II

▲ RAMSÈS LE GRAND
Arrivé sur le trône en 1279 av. J.-C.,
Ramsès II régna sur l'Égypte durant
soixante-sept ans et eut plus de cent
enfants. Ce temps de règne exceptionnel lui
permit de bâtir énormément de temples et
de monuments. Beaucoup de statues nous
étant parvenues, son visage est plus familier
que celui de tout autre pharaon.
La radiographie a révélé que ses dents usées
étaient dans un état lamentable, sa bouche
présentant plusieurs abcès.

▲ UN CIEL ÉTOILÉ
Certaines des plus belles œuvres d'art égyptiennes datent du règne de Séti Ier, surtout
les peintures ornant les parois de son tombeau de la Vallée des Rois. Celle-ci, décorant
le plafond de sa chambre funéraire, représente les constellations du ciel boréal.
Le bœuf suivi d'un homme symbolise celle de la Grande Ourse, aux étoiles figurées
par des points rouges. Le tombeau vide de Séti fut découvert en 1817.

▲ LA BATAILLE DE KADESH
L'événement le plus marquant du règne de Ramsès II fut sa bataille contre
les Hittites à Kadesh (Syrie), vers 1274 av. J.-C. Le souverain fit graver sur
les murs de ses temples le récit de cette bataille, qui le montre triomphant
des Hittites, les anéantissant à lui seul du haut de son char, avec son arc
et ses flèches. En réalité, la bataille aboutit à un *statu quo*.

TOUTANKHAMON : LES RECHERCHES

En 1907, une équipe d'archéologues travaillant pour un riche avocat américain, Theodore Davis, découvrit une tombe non décorée dans la Vallée des Rois, nécropole royale de Thèbes (Louqsor). À proximité se trouvait un puits qui contenait des objets portant le nom d'un pharaon peu connu, Toutankhamon. Davis supposa que la tombe non décorée, pillée bien avant, avait appartenu à Toutankhamon. Il semblait que toutes les sépultures royales avaient été trouvées et répertoriées. Mais l'archéologue britannique Howard Carter n'en était pas convaincu. En 1917, il débuta les recherches pour trouver le tombeau de Toutankhamon.

◄ HOWARD CARTER
En 1917, lorsque Howard Carter (1874-1939) débuta ses recherches, cela faisait vingt-six ans qu'il travaillait en Égypte. Il connaissait la Vallée des Rois mieux que personne. Carter soupçonnait que le tombeau de Toutankhamon se trouvait dans une zone particulière, sous un tas de débris antiques. Comme il l'écrivit plus tard : « J'avais de bonnes raisons de croire que le sol, au-dessous, était intact, et la forte conviction que nous y trouverions le tombeau. »

Ouvrier égyptien gardant l'entrée du tombeau de Toutankhamon

LA VALLÉE DES ROIS, LES TOMBEAUX ROYAUX

La Vallée des Rois contient 62 tombes connues ; 20 appartenaient aux pharaons qui régnèrent sur l'Égypte de 1504 à 1085 av. J.-C., les autres étaient celles de membres de la famille royale, de nobles, ou n'avaient jamais servi. Cela faisait des siècles que l'on connaissait l'existence de la plupart des tombeaux pharaoniques. On en découvrit 4 entre 1799 et 1817, et 9 autres entre 1899 et 1903. Tous avaient été pillés.

(A) Ramsès II	(D) Amenmès	(G) Ramsès VI
(B) Séti Ier	(E) Ramsès III	(H) Toutankhamon
(C) Ramsès Ier	(F) Reine Tiy	(I) Merenptah

LORD CARNARVON

Depuis 1909, les fouilles de Carter étaient financées par lord Carnarvon (1865-1923). Venu pour la première fois en Égypte en 1903 pour sa santé, ce dernier fut fasciné par sa civilisation antique. De 1917 à 1921, Carnarvon dépensa beaucoup d'argent tandis que Carter cherchait Toutankhamon sans succès. Son investissement ne rapportant rien, Carnarvon perdit patience et annonça à Carter qu'il ne financerait plus qu'une saison de fouilles.

LES FOUILLES ▶

L'argent de Carnarvon servit à payer cent paysans égyptiens, qui dégagèrent systématiquement la zone où Carter espérait trouver le tombeau. Finalement, le 1ᵉʳ novembre 1922, lors de la dernière saison de fouilles, les ouvriers découvrirent une marche creusée dans la roche. C'était la première de seize marches descendant vers une porte. Le fait que cette dernière n'ait pas été forcée fit grandir l'espoir de Carter que le tombeau ait échappé au vol.

Entrée de la tombe de Ramsès VI

CARNARVON
CARTER

LA SECONDE PORTE ▶

Le 6 novembre, Carter télégraphia à lord Carnarvon, en Angleterre : « J'ai enfin fait une merveilleuse découverte dans la Vallée ; une magnifique tombe aux sceaux intacts. » Carter attendit l'arrivée de Carnarvon, le 23 novembre, pour ouvrir la porte. Derrière, il découvrit un long couloir en pente, à l'extrémité duquel se trouvait une seconde porte scellée. Cette photo montre Carnarvon et Carter devant cette porte. Ils sont sur le point de faire la plus grande découverte archéologique de l'histoire.

◀ LES PREMIERS TOURISTES SUR LE SITE

La nouvelle de la découverte d'un tombeau royal fit sensation dans le monde entier, et de riches touristes vinrent bientôt remplir les hôtels chics de Louqsor. Le 30 novembre, Carter écrivit dans son journal : « Nous n'étions absolument pas préparés à accueillir un tel nombre de visiteurs. » Le flot de touristes, journalistes et fonctionnaires ralentit les fouilles. Il fallut près de dix ans à Carter pour examiner tout le contenu du tombeau. Cette photo montre Carter et Carnarvon faisant faire le tour du site aux premiers visiteurs.

@▶▶ Toutankhamon

LE TOMBEAU

Le 26 novembre 1922, Howard Carter
se tenait au bout du sombre couloir d'accès
au tombeau qu'il avait découvert.
Il perça un trou dans le mur et y fit passer
sa bougie. Ce qu'il vit était si étonnant
que les mots lui manquèrent. Debout
à côté de lui, lord Carnarvon demanda :
«Pouvez-vous voir quelque chose ?»
Carter répondit : «Oui, de merveilleuses
choses !» Il pouvait voir une salle
pleine de trésors étincelants.
Et ce n'était que l'antichambre
du tombeau.

**◄ LES PORTES
DU SANCTUAIRE**
Lorsque Carter pénétra dans la
chambre funéraire, en février
1923, il découvrit qu'elle était
presque entièrement occupée
par un énorme sanctuaire
rectangulaire en bois doré.
C'était le premier de quatre
sanctuaires qu'il fallut
démonter et sortir pour
atteindre le sarcophage royal,
contenant trois cercueils
gigognes. Ici, il ouvre les
portes richement décorées
du sanctuaire intérieur.

DANS L'ANTICHAMBRE ►
Carter se souvint plus tard que, en examinant l'intérieur de
l'antichambre, sa première impression fut «des animaux étranges,
des statues et de l'or – partout, le doré de l'or». Il y avait près
de deux cents objets, dont trois grands lits dorés à têtes d'animaux,
quarante-huit boîtes ovales blanches contenant des rôtis, quatre
chars démontés et divers coffres renfermant bijoux, nécessaire de
rasage, jeux et matériel de chasse. Il fallut deux ans à Carter pour
répertorier et photographier chaque objet.

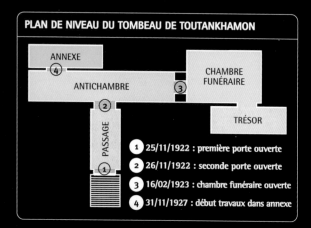

PLAN DE NIVEAU DU TOMBEAU DE TOUTANKHAMON

ANNEXE

④

ANTICHAMBRE

CHAMBRE
FUNÉRAIRE

③

PASSAGE

②

TRÉSOR

①

❶ 25/11/1922 : première porte ouverte

❷ 26/11/1922 : seconde porte ouverte

❸ 16/02/1923 : chambre funéraire ouverte

❹ 31/11/1927 : début travaux dans annexe

PROTÉGER LE PHARAON ▲

Les objets présents dans la tombe avaient deux intérêts principaux. Beaucoup, comme cette amulette magique, devaient protéger le pharaon des dangers de son voyage vers l'au-delà. Cette amulette *oudjat* représente l'œil droit du dieu Horus. On la trouva sur la poitrine de la momie de Toutankhamon. D'autres objets, comme des rôtis, des pains, des figues et des jarres de bière, étaient censés satisfaire les besoins physiques du pharaon dans sa nouvelle vie.

1. Tête de lit à l'image d'Ammit, déesse hippopotame, lionne et crocodile

2. Siège pliant en X, en bois d'ébène orné d'ivoire

3. Coffre en bois contenant le nécessaire de rasage du roi

4. Chaise en papyrus et ébène

5. Coffret de voyage orné de bandes de bois et incrusté d'or

6. Lit en bois blanchi à la chaux et matelas en lin tissé

7. Deuxième lit, en forme de vache – peut-être la déesse Hathor

8. Pied d'un troisième lit, en forme de lionne

9. Boîtes ovales contenant des rôtis pour nourrir le roi dans l'au-delà

10. Coffre à trésor contenant les restes du corselet précieux du roi

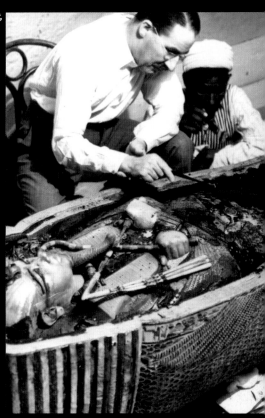

Toutankhamon

LE CERCUEIL INTÉRIEUR ▲

Le cercueil intérieur était collé au deuxième par une masse de résine noire séchée – ce qui restait des huiles versées par les prêtres sur le cercueil, lors des funérailles. Carter eut beau exposer les cercueils au soleil égyptien de midi, il ne put les séparer. Ici, il enlève petit à petit l'huile au-dessus du cercueil intérieur, toujours coincé dans le deuxième, pour en soulever

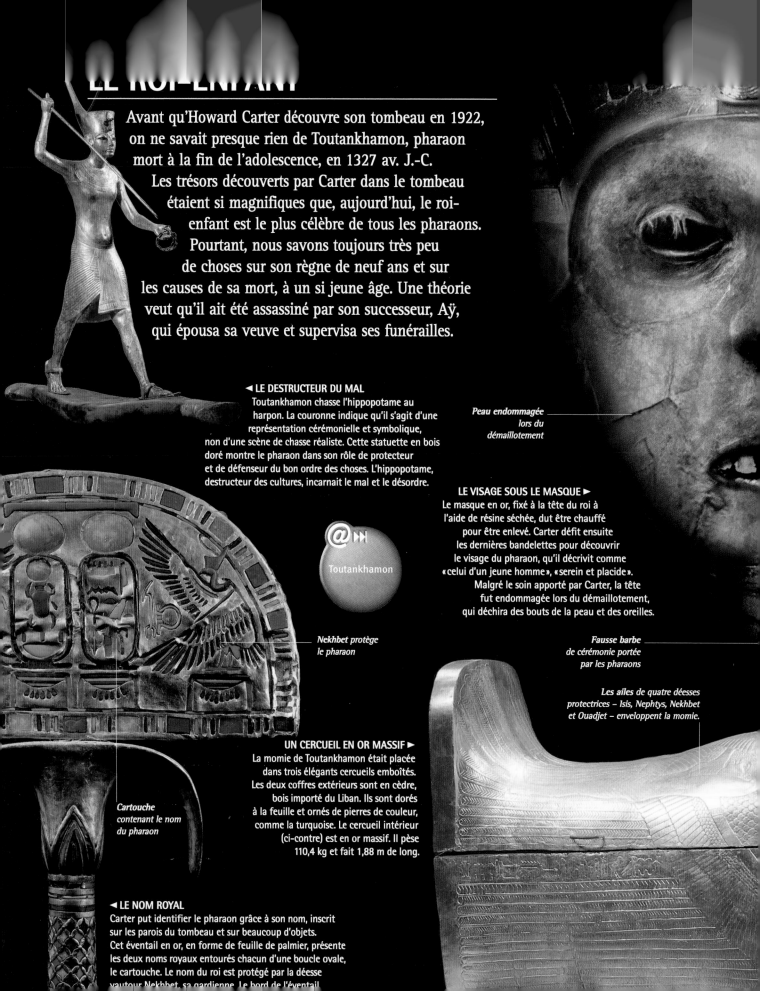

LE ROI-ENFANT

Avant qu'Howard Carter découvre son tombeau en 1922, on ne savait presque rien de Toutankhamon, pharaon mort à la fin de l'adolescence, en 1327 av. J.-C. Les trésors découverts par Carter dans le tombeau étaient si magnifiques que, aujourd'hui, le roi-enfant est le plus célèbre de tous les pharaons. Pourtant, nous savons toujours très peu de choses sur son règne de neuf ans et sur les causes de sa mort, à un si jeune âge. Une théorie veut qu'il ait été assassiné par son successeur, Aÿ, qui épousa sa veuve et supervisa ses funérailles.

◄ LE DESTRUCTEUR DU MAL
Toutankhamon chasse l'hippopotame au harpon. La couronne indique qu'il s'agit d'une représentation cérémonielle et symbolique, non d'une scène de chasse réaliste. Cette statuette en bois doré montre le pharaon dans son rôle de protecteur et de défenseur du bon ordre des choses. L'hippopotame, destructeur des cultures, incarnait le mal et le désordre.

Peau endommagée lors du démaillotement

LE VISAGE SOUS LE MASQUE ►
Le masque en or, fixé à la tête du roi à l'aide de résine séchée, dut être chauffé pour être enlevé. Carter défit ensuite les dernières bandelettes pour découvrir le visage du pharaon, qu'il décrivit comme «celui d'un jeune homme», «serein et placide». Malgré le soin apporté par Carter, la tête fut endommagée lors du démaillotement, qui déchira des bouts de la peau et des oreilles.

Toutankhamon

Nekhbet protège le pharaon

Fausse barbe de cérémonie portée par les pharaons

Les ailes de quatre déesses protectrices – Isis, Nephtys, Nekhbet et Ouadjet – enveloppent la momie.

UN CERCUEIL EN OR MASSIF ►
La momie de Toutankhamon était placée dans trois élégants cercueils emboîtés. Les deux coffres extérieurs sont en cèdre, bois importé du Liban. Ils sont dorés à la feuille et ornés de pierres de couleur, comme la turquoise. Le cercueil intérieur (ci-contre) est en or massif. Il pèse 110,4 kg et fait 1,88 m de long.

Cartouche contenant le nom du pharaon

◄ LE NOM ROYAL
Carter put identifier le pharaon grâce à son nom, inscrit sur les parois du tombeau et sur beaucoup d'objets. Cet éventail en or, en forme de feuille de palmier, présente les deux noms royaux entourés chacun d'une boucle ovale, le cartouche. Le nom du roi est protégé par la déesse vautour Nekhbet, sa gardienne. Le bord de l'éventail

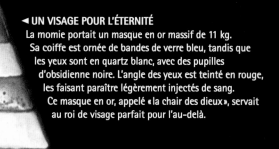

◄ UN VISAGE POUR L'ÉTERNITÉ
La momie portait un masque en or massif de 11 kg.
Sa coiffe est ornée de bandes de verre bleu, tandis que
les yeux sont en quartz blanc, avec des pupilles
d'obsidienne noire. L'angle des yeux est teinté en rouge,
les faisant paraître légèrement injectés de sang.
Ce masque en or, appelé «la chair des dieux», servait
au roi de visage parfait pour l'au-delà.

POUR SE DÉFENDRE ►
La momie de Toutankhamon avait à
la taille un poignard en or, pour
la protéger durant son voyage vers
l'au-delà. Le manche est orné
de motifs floraux, en verre coloré
incrusté de pierres semi-
précieuses. Le fourreau présente
des animaux sauvages, dont
un taureau, un chien et
un léopard. Tout comme
les autres trésors
du tombeau, ce poignard
peut être admiré
au Musée égyptien
du Caire (Égypte).

*Cette coiffe,
le némès, était
un insigne royal.*

FOURREAU   POIGNARD

*Incrustations de
verre bleu dans l'or*

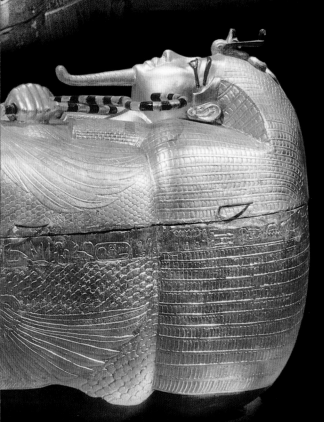

LE TOMBEAU AUJOURD'HUI ▲
La momie de Toutankhamon a été replacée dans son tombeau de Thèbes.
Elle repose dans son cercueil extérieur en bois doré, protégée par
une plaque de verre. Des nombreuses tombes royales ouvertes au public
dans la Vallée des Rois, c'est la seule qui abrite encore son propriétaire.

LA REDÉCOUVERTE DE L'ÉGYPTE

Depuis que l'historien grec Hérodote a visité l'Égypte, vers 500 av. J.-C., les étrangers ont été fascinés par les momies et la civilisation qui les a conçues. Au XIIe siècle, les Européens appréciaient les momies pour leurs bienfaits médicaux supposés. Il fallut attendre la campagne d'Égypte de Napoléon Bonaparte (1798) pour qu'une véritable compréhension de la civilisation antique commence à apparaître. Le XIXe siècle vit l'arrivée des premiers archéologues, qui cherchèrent les tombes royales et déchiffrèrent leurs inscriptions.

UN USAGE MÉDICAL ▶
Du XIIe au XVIIe siècle, les Européens avalèrent des médicaments à base de momies réduites en poudre. Cette pratique dérivait d'un ouvrage arabe vantant les mérites médicinaux du bitume, dont on pensait à tort qu'il était utilisé pour la momification. Le mot « momie » vient en effet de l'arabe *mûmiya* signifiant « bitume ». Les momies égyptiennes arrivaient en grand nombre par bateau, pour être transformées en médicaments par les apothicaires (pharmaciens).

◀ NAPOLÉON EN ÉGYPTE
En 1798, le général Napoléon Bonaparte envahit l'Égypte, que les Français occupèrent jusqu'en 1802. Outre ses soldats, Napoléon était accompagné d'une équipe de savants, d'ingénieurs et d'artistes, qui mesurèrent et répertorièrent les monuments du pays. Napoléon fut particulièrement fasciné par les trois pyramides de Gizeh. Il calcula qu'elles contenaient assez de pierres pour bâtir autour de la France un mur haut de 3 m et large de 30 cm.

◀ LES ÉTUDES FRANÇAISES
De retour en France, le matériel rassemblé par les experts de Napoléon fut publié dans une série de volumes appelée *Description de l'Égypte*, regroupant quelque 3 000 illustrations. Celle-ci montre des experts mesurant le Grand Sphinx, encore enseveli jusqu'au cou sous le sable du désert. Dans toute l'Europe, ces ouvrages entraînèrent un regain de fascination pour l'Égypte ancienne, chez les historiens comme chez le grand public.

Les hiéroglyphes se trouvent en haut de la stèle.

LA PIERRE DE ROSETTE ▶
En 1799, les soldats de Napoléon découvrirent à Rosette une stèle en basalte portant un décret sacerdotal, rédigé en hiéroglyphes, en grec et en démotique (écriture égyptienne). L'égyptologue français Jean-François Champollion (1790-1832) commença à déchiffrer les hiéroglyphes en les comparant aux autres textes. En 1824, il publia un ouvrage constituant une avancée capitale dans le décodage de ce système d'écriture inusité depuis le IVe siècle av. J.-C.

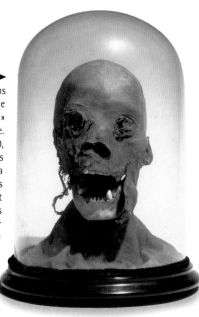

DES OBJETS DE COLLECTION ▶
Des collectionneurs européens et américains du XIXe siècle recherchaient les « objets » momifiés, comme cette tête. Dans les années 1830, le collectionneur anglais Thomas Pettigrew organisa une série de séances publiques de démaillotement de momies. Les spectateurs payaient pour le voir ôter les bandelettes d'une momie égyptienne. En 1852, Pettigrew transforma le duc d'Hamilton en momie, conformément au testament de ce dernier.

Les ailes
sont incrustées
de pierres
précieuses
comme le lapis-
lazuli (bleu).

Le scarabée tient
un disque
symbolisant Rê
(Râ), le dieu Soleil.

▲ LES BIJOUX ART DÉCO

La découverte du tombeau et des trésors de Toutankhamon entraîna une «égyptomanie», un engouement pour l'Égypte ancienne. L'Égypte influença un nouveau style d'arts décoratifs, dit Art déco. Il doit son nom à l'Exposition internationale des arts décoratifs et industriels modernes qui se tint à Paris en 1925, où il apparut pour la première fois. Les broches Art déco comme ce scarabée s'inspirent étroitement des bijoux colorés trouvés avec Toutankhamon.

Égyptologie

LA MALÉDICTION DE TOUTANKHAMON ►

En avril 1923, deux mois seulement après être entré dans la chambre funéraire de Toutankhamon, lord Carnarvon, qui avait financé les fouilles, mourut d'une piqûre de moustique infectée. Ce fut le début de rumeurs selon lesquelles il était victime d'une malédiction antique. On affirma qu'une inscription placée au-dessus de la porte du tombeau indiquait : «La mort ailée s'abattra sur quiconque pénétrera dans le tombeau du pharaon.» En réalité, il n'existe aucun texte de ce genre.

▲ LES MOMIES AU CINÉMA

L'égyptomanie inspira en 1932 un film d'horreur, La Momie. La vedette en est Boris Karloff dans le rôle d'Imhotep, prêtre de l'Égypte ancienne enterré vivant pour ses crimes contre les dieux. Un archéologue britannique découvre sa momie et lui rend la vie en lisant un rouleau de papyrus magique. La momie se met alors à parcourir les rues du Caire, à la recherche d'une femme qu'il pense être la réincarnation de sa bien-aimée, morte depuis une éternité.

Les murs sont décorés
des scènes peintes
des tombes égyptiennes.

LE DESIGN ET L'ARCHITECTURE ►

L'égyptomanie influença l'orfèvrerie et l'architecture. En 1924, au plus fort de cet engouement, Harman et Louis Peery bâtirent le Peery's Egyptian Cinema à Ogden, dans l'Utah (États-Unis). Les colonnes s'inspirent de celles trouvées dans les temples égyptiens, imitant des tiges de papyrus, et sont aussi vivement colorées que les bijoux égyptiens. Restaurée et rouverte en 1997, cette salle donne toujours l'impression que l'on est transporté en Égypte ancienne.

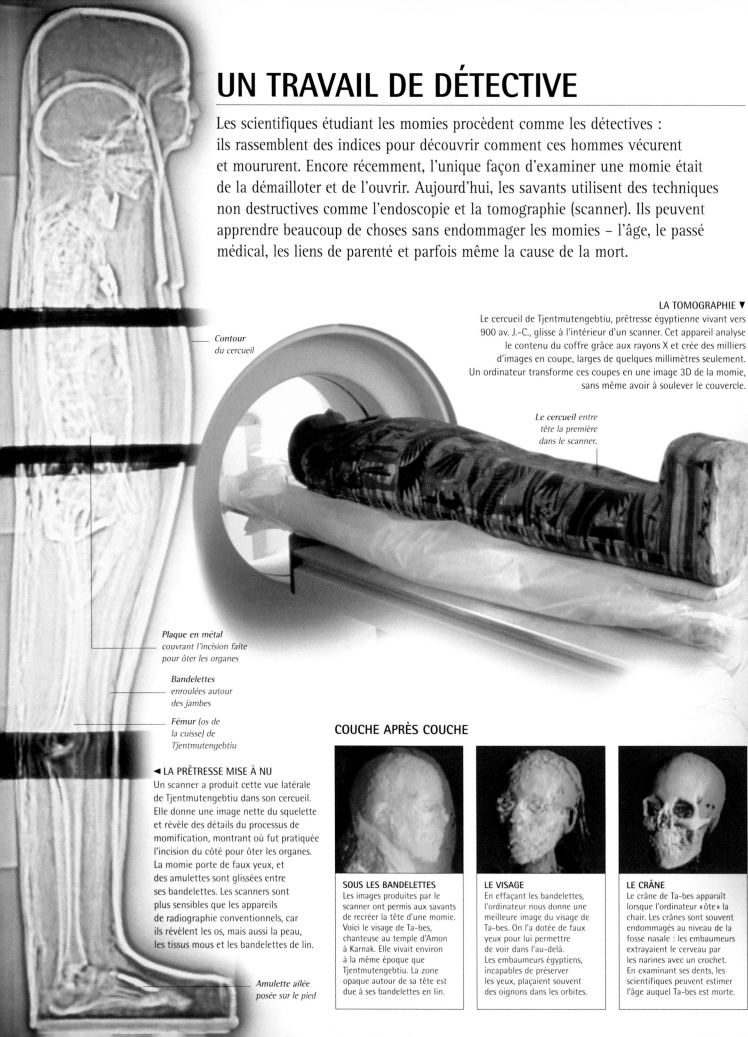

UN TRAVAIL DE DÉTECTIVE

Les scientifiques étudiant les momies procèdent comme les détectives : ils rassemblent des indices pour découvrir comment ces hommes vécurent et moururent. Encore récemment, l'unique façon d'examiner une momie était de la démailloter et de l'ouvrir. Aujourd'hui, les savants utilisent des techniques non destructives comme l'endoscopie et la tomographie (scanner). Ils peuvent apprendre beaucoup de choses sans endommager les momies – l'âge, le passé médical, les liens de parenté et parfois même la cause de la mort.

LA TOMOGRAPHIE ▼

Le cercueil de Tjentmutengebtiu, prêtresse égyptienne vivant vers 900 av. J.-C., glisse à l'intérieur d'un scanner. Cet appareil analyse le contenu du coffre grâce aux rayons X et crée des milliers d'images en coupe, larges de quelques millimètres seulement. Un ordinateur transforme ces coupes en une image 3D de la momie, sans même avoir à soulever le couvercle.

Contour du cercueil

Le cercueil entre tête la première dans le scanner.

Plaque en métal couvrant l'incision faite pour ôter les organes

Bandelettes enroulées autour des jambes

Fémur (os de la cuisse) de Tjentmutengebtiu

◄ LA PRÊTRESSE MISE À NU

Un scanner a produit cette vue latérale de Tjentmutengebtiu dans son cercueil. Elle donne une image nette du squelette et révèle des détails du processus de momification, montrant où fut pratiquée l'incision du côté pour ôter les organes. La momie porte de faux yeux, et des amulettes sont glissées entre ses bandelettes. Les scanners sont plus sensibles que les appareils de radiographie conventionnels, car ils révèlent les os, mais aussi la peau, les tissus mous et les bandelettes de lin.

Amulette ailée posée sur le pied

COUCHE APRÈS COUCHE

SOUS LES BANDELETTES
Les images produites par le scanner ont permis aux savants de recréer la tête d'une momie. Voici le visage de Ta-bes, chanteuse au temple d'Amon à Karnak. Elle vivait environ à la même époque que Tjentmutengebtiu. La zone opaque autour de sa tête est due à ses bandelettes en lin.

LE VISAGE
En effaçant les bandelettes, l'ordinateur nous donne une meilleure image du visage de Ta-bes. On l'a dotée de faux yeux pour lui permettre de voir dans l'au-delà. Les embaumeurs égyptiens, incapables de préserver les yeux, plaçaient souvent des oignons dans les orbites.

LE CRÂNE
Le crâne de Ta-bes apparaît lorsque l'ordinateur «ôte» la chair. Les crânes sont souvent endommagés au niveau de la fosse nasale : les embaumeurs extrayaient le cerveau par les narines avec un crochet. En examinant ses dents, les scientifiques peuvent estimer l'âge auquel Ta-bes est morte.

ÉTUDIER LES TISSUS

ÉCHANTILLON DE TISSU
Un scientifique prélève un échantillon de tissu sur le pied d'une momie afin d'en extraire l'acide désoxyribonucléique (ADN). L'ADN contient le code génétique de la momie. Il est unique pour chaque individu. Le scientifique porte des gants en latex pour ne pas contaminer l'échantillon par son propre ADN.

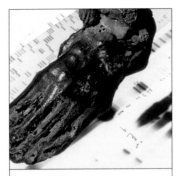

PROFIL ADN
Un ordinateur traduit le code génétique en un profil ADN, succession de bandes ressemblant à un code-barres. En comparant l'ADN de différentes momies, on peut découvrir si elles étaient apparentées. Mais l'ADN antique est souvent réduit en petits morceaux, ce qui rend ces comparaisons difficiles.

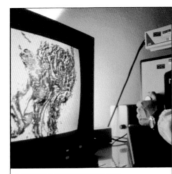

EXAMEN AU MICROSCOPE
Les scientifiques utilisent de puissants microscopes pour examiner les tissus et identifier des maladies. Ici, un microscope vidéo projette l'image d'un mince morceau du foie d'une momie, coloré pour être plus visible. Ces examens ont révélé que beaucoup d'Égyptiens souffraient de bilharziose, une infection parasitaire.

PARASITE
Un ver parasite est responsable de la bilharziose. Les chercheurs sont en train d'établir le schéma de la maladie depuis l'Antiquité, à l'aide des tissus de centaines de momies. Ils espèrent contribuer à mettre au point le traitement de cette maladie qui touche 250 millions de personnes dans le monde.

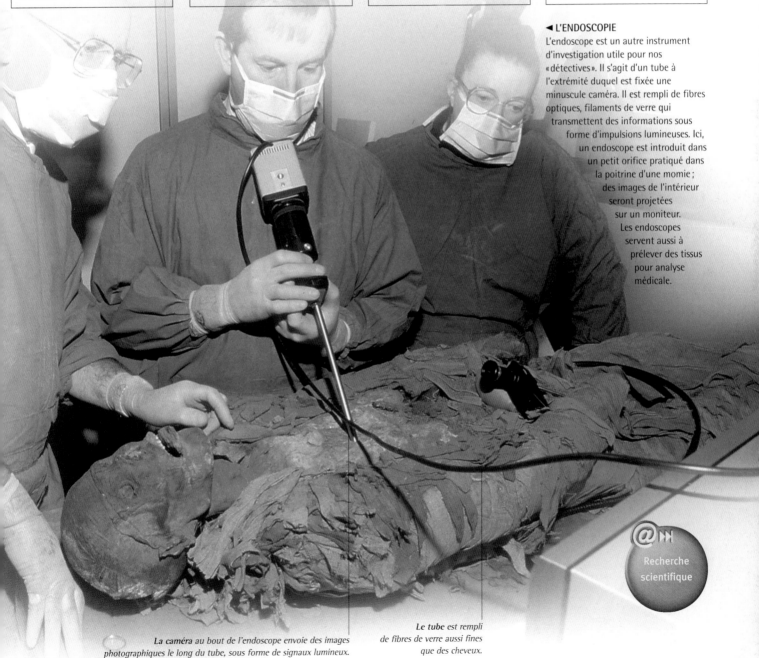

◄ L'ENDOSCOPIE
L'endoscope est un autre instrument d'investigation utile pour nos «détectives». Il s'agit d'un tube à l'extrémité duquel est fixée une minuscule caméra. Il est rempli de fibres optiques, filaments de verre qui transmettent des informations sous forme d'impulsions lumineuses. Ici, un endoscope est introduit dans un petit orifice pratiqué dans la poitrine d'une momie ; des images de l'intérieur seront projetées sur un moniteur. Les endoscopes servent aussi à prélever des tissus pour analyse médicale.

@▶▶ Recherche scientifique

La caméra au bout de l'endoscope envoie des images photographiques le long du tube, sous forme de signaux lumineux.

Le tube est rempli de fibres de verre aussi fines que des cheveux.

LES MÉTHODES DE DATATION

Pour dater leurs trouvailles, les archéologues utilisent essentiellement deux méthodes : datation relative et datation absolue. La datation relative détermine l'âge d'un objet par rapport à un autre ; ainsi, les trouvailles venant des couches inférieures d'un terrain de fouilles sont souvent plus anciennes que celles des couches supérieures. La datation absolue donne l'âge réel d'un objet, sans effectuer de comparaison. On peut notamment dater de manière exacte une pièce de monnaie, car elle porte l'année de sa frappe. Mais c'est la méthode de datation au carbone (1949) qui a permis se situer les objets dans le temps avec une précision absolue.

Datation

◄ LA DATATION COMPARATIVE
On peut procéder à la datation relative d'un objet en se basant sur son style. Ces deux masques de momie remontent visiblement à l'Égypte ancienne, et un non-spécialiste pourrait les croire de la même époque. En réalité, le masque en or a environ mille ans de plus. Plus grossiers, les masques peints datent d'une période tardive, alors que beaucoup de Romains vivaient en Égypte. Durant cette époque, le style des masques fut influencé par l'art romain. On momifiait plus de gens ordinaires, et les «normes» de fabrication s'abaissèrent.

Le némès (coiffe) montre que ce masque date du temps des pharaons.

Masque en or du pharaon Psousennès Ier (1040-993 av. J.-C.)

Le rose n'apparaît qu'à une période tardive.

Masque de momie en cartonnage, postérieur à 30 av. J.-C.

MASQUE ANCIEN

MASQUE TARDIF

LA DATATION AU CARBONE DANS LA NATURE

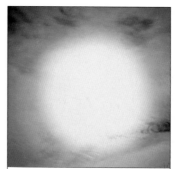

CARBONE
Le carbone est le sixième élément le plus courant de l'univers. Il se combine à d'autres éléments, et tout être vivant en contient. Cette photo montre une partie d'un modèle de molécule de carbone associant 80 atomes de carbone et formant une cage. L'atome est la plus petite particule du carbone – un point contient 10 millions de millions d'atomes.

ABSORBER LE CARBONE
Toute matière vivante absorbe du carbone. Les plantes, sous forme de dioxyde de carbone atmosphérique ; les animaux, en mangeant des plantes ou des herbivores. À leur mort, plantes et animaux cessent d'en absorber. Il en existe trois isotopes (types d'atome), connus comme le carbone 12, le carbone 13 et le carbone 14.

CARBONE RADIOACTIF
Les isotopes les plus courants, le carbone 12 et le carbone 13, sont stables : ils gardent le même état. Le carbone 14, bien plus rare, est instable ou radioactif, à cause des radiations du soleil et de l'espace. Ses atomes se désintègrent en azote 14 à une vitesse connue, appelée demi-vie ou période.

WILLARD LIBBY
En 1949, le chimiste américain Willard Libby utilisa pour la première fois le carbone 14 pour dater des restes. La période du carbone 14 est de 5 730 ans. Cela signifie qu'il faut 5 730 ans pour qu'il perde la moitié de ses atomes d'origine. Un os contenant la moitié du taux de carbone 14 attendu est donc vieux de 5 730 ans.

DATATION AU CARBONE D'UN ÉCHANTILLON

CALIBRER UN ÉCHANTILLON
La quantité de carbone 14 présent dans la nature variant avec le temps, les résultats de la datation doivent être calibrés (ajustés). Les scientifiques utilisent les anneaux de croissance des pins bristlecone, les plus anciens êtres vivants sur terre. Chaque année, un arbre produit un anneau de croissance ; cent anneaux égalent donc cent ans. En comparant la datation au carbone des anneaux de croissance avec leur âge réel, les savants établissent les ajustements à effectuer pour d'autres échantillons.

PRÉLEVER UN ÉCHANTILLON
Pour dater un objet trouvé, comme cet os de renne, on doit d'abord en prendre un petit morceau. Cet échantillon sera détruit lors du processus de datation, mais, heureusement, quelques milligrammes suffisent. L'échantillon est plongé dans l'acide pour supprimer toute autre matière organique, comme la terre, qui peut contenir du carbone 14. S'il en restait sur l'os, le savant n'obtiendrait pas une date fiable. L'échantillon est brûlé pour être transformé en carbone pur, que l'on peut mesurer.

UTILISER UN SPECTROMÈTRE
Le carbone est placé dans un spectromètre de masse par accélérateur, et bombardé de particules de césium pour créer un courant de particules. Ce courant est analysé par le spectromètre, qui peut détecter les atomes de carbone 14 à leur vitesse. Aux débuts de la datation au carbone, les scientifiques avaient besoin d'un échantillon assez important pour dater une trouvaille. Aujourd'hui, grâce au perfectionnement du spectromètre, quelques milligrammes suffisent pour dater un échantillon.

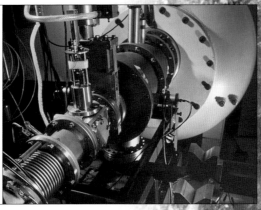

DATER LES CHINCHORROS ▶
La datation au carbone est particulièrement utile lorsque l'on découvre une civilisation inconnue. En 1917, on trouva à Chinchorro (Chili) un groupe de momies ne ressemblant à rien de connu. Max Uhle, l'archéologue allemand qui les étudia le premier, les estima vieilles de quelque deux mille ans. Grâce à la datation au carbone, nous savons maintenant que les plus anciennes ont plus de sept mille ans, ce qui en fait les momies artificielles les plus vieilles du monde.

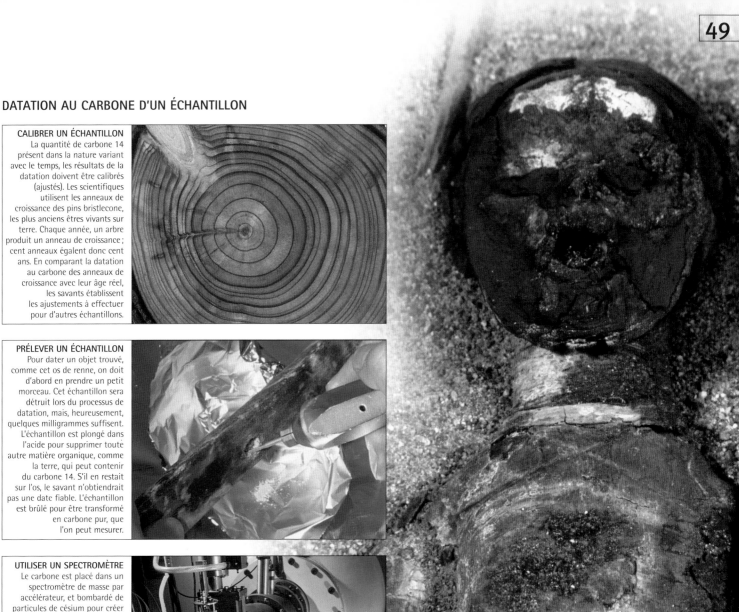

La peinture noire couvrait jadis tout le corps.

LES PLUS ANCIENNES MOMIES

Les momies artificielles les plus anciennes sont celles du peuple chinchorro, qui vécut sur les côtes d'Amérique du Sud (nord du Chili actuel). Il y a plus de sept mille ans, les Chinchorros préservaient leurs morts par des méthodes plus élaborées que celles de l'Égypte ancienne. Avant la découverte de ces momies en 1917, on pensait que ce type de momification complexe était l'apanage des sociétés riches, comptant rois et nobles. Mais les Chinchorros étaient un simple peuple de chasseurs et de pêcheurs.

DÉSERT D'ATACAMA, CHILI

PÉRIODE :	v. 5050-2000 av. J.-C.
DÉCOUVERTE :	1917
TOTAL :	282 momies

UNE SÉPULTURE FAMILIALE ▶
Ce groupe de momies fut mis au jour en 1983 à Arica (Chili). Comme les autres momies chinchorros, les corps étaient renforcés à l'aide de bâtons pour tenir debout comme des objets rigides. Beaucoup présentent des signes indiquant qu'on les a restaurés et repeints. Cela indique que les momies demeuraient un certain temps avec les vivants, peut-être adossées aux murs des maisons. Elles étaient ensuite inhumées, souvent en famille, avec des biens funéraires tels que hameçons et os de baleine.

Chili

Masque d'argile aux yeux fermés comme pour dormir

Biens funéraires

MOMIES DE TROIS ENFANTS

LA MOMIFICATION NATURELLE ▶

La main de cet enfant momifié a été naturellement préservée. Le désert d'Atacama, où les Chinchorros enterraient leurs morts, est l'un des endroits les plus secs de la planète : il convient parfaitement à la préservation du corps humain. Les corps les plus vieux qu'on y a trouvés remontent à 8000 av. J.-C. et étaient naturellement momifiés. Le peuple chinchorro remarqua sans doute que ses défunts restaient intacts dans leur tombe, et décida d'améliorer leur apparence.

Un «habit» de roseaux couvre toujours le corps.

Les ongles sont intacts.

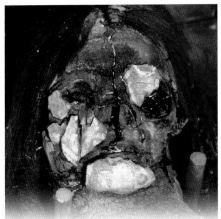

▲ LA PÉRIODE NOIRE (5050-2500 AV. J.-C.)

Quelque temps avant 5000 av. J.-C., les Chinchorros commencèrent à réaliser des masques d'argile pour leurs morts. Ils les peignaient en noir, à l'aide de grains de manganèse obtenus en tamisant le sable de la plage. Ils disloquaient aussi les corps. Ils gardaient la peau et les os, rigidifiant le squelette avec des bâtons. Après avoir remodelé le corps en plaçant herbe, argile et plumes autour des os, ils le recouvraient de sa peau, en complétant avec des morceaux de peau d'otarie. Puis ils l'enduisaient d'une pâte à base de cendres.

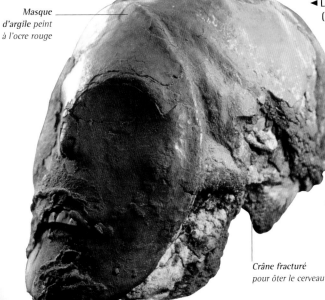

Masque d'argile peint à l'ocre rouge

◀ LA PÉRIODE ROUGE (2500-2000 AV. J.-C.)

Le style des masques changea vers 2500 av. J.-C. Yeux et bouche étaient ouverts, comme si le défunt était réveillé. La peinture n'était plus noire et à base de manganèse, mais rouge et à base d'ocre. Au lieu de disloquer le corps, les Chinchorros réalisaient des incisions sur les côtés pour ôter les organes. Puis ils remplissaient les cavités à l'aide de roseaux, d'argile et de fourrure.

Crâne fracturé pour ôter le cerveau

Bordure en os de baleine

Seins modelés avec une pâte à base de cendres

Corps recouvert de pâte à base de cendres

«Habit» de roseaux

▲ UN BÉBÉ MOMIFIÉ

Les plus anciennes momies artificielles découvertes sont celles de très jeunes enfants. Peut-être furent-ils momifiés pour faciliter le deuil de mères ne supportant pas d'être séparées d'eux. Les Chinchorros avaient la particularité de momifier jusqu'aux fœtus. Il est possible qu'ils aient pensé donner une seconde chance à ces enfants mort-nés : vivre en tant que momies.

LES MOMIES PÉRUVIENNES

Durant plus de deux mille ans, de 500 av. J.-C. à 1580 environ, les peuples du Pérou momifièrent leurs morts. Des civilisations fleurirent et déclinèrent, mais la méthode resta presque inchangée. Les corps ramassés, genoux remontés près du menton, étaient enveloppés de couches de tissu. C'est toujours dans cette position que les habitants d'Amérique du Sud se détendent ! Cette posture contribuait à préserver le corps en permettant aux liquides de s'échapper vers le bas. On a trouvé des momies dans tout le Pérou, des secs déserts côtiers aux montagnes accidentées des Andes, en passant par la luxuriante forêt tropicale.

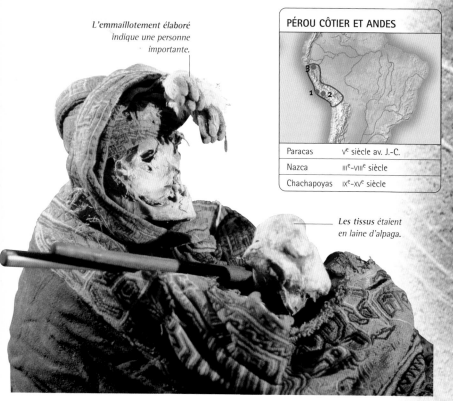

L'emmaillotement élaboré indique une personne importante.

PÉROU CÔTIER ET ANDES

Paracas	Vᵉ siècle av. J.-C.
Nazca	IIIᵉ-VIIIᵉ siècle
Chachapoyas	IXᵉ-XVᵉ siècle

Les tissus étaient en laine d'alpaga.

▲ LA MOMIE DE PARACAS

Les plus anciennes momies péruviennes furent trouvées dans les années 1920 sur la péninsule de Paracas (Pérou). Au nombre de 429, c'étaient presque toutes celles d'hommes âgés, remontant au Vᵉ siècle av. J.-C. Elles étaient enveloppées de nombreuses couches de tissu, qui participaient au processus de momification en absorbant les liquides corporels, ce qui accélérait le dessèchement.

◄ LES TISSUS DE PARACAS

Les textiles de Paracas sont parmi les plus étonnants et les plus beaux. Tissés sur d'énormes métiers, ils ont des couleurs vives et représentent souvent des animaux étranges. Ce tissu montre une créature portant une coiffe élaborée et tenant un serpent. De telles étoffes servaient de biens funéraires, symbolisant le statut du défunt dans l'au-delà. Une momie fut enterrée avec 56 vêtements, dont 13 turbans.

LES LIGNES DE NAZCA ►

Au sud de Paracas se trouve le désert de Nazca, célèbre pour ses lignes formant des dessins immenses et mystérieux. Ils sont l'œuvre du peuple nazca, qui habita la région de 200 av. J.-C. à 600 apr. J.-C. Les figures, tel ce singe long de 55 m, furent exécutées en ôtant la couche de sol sombre pour révéler le dessous, plus clair. Nul ne sait pourquoi ce peuple les réalisa. On ne peut voir les dessins entiers qu'en hauteur, mais il n'y a aucune colline à proximité, si bien que les Nazcas ont dû se servir de leur imagination. Peut-être s'agissait-il d'offrandes aux dieux. Des sépultures proches ont été mises au jour, suggérant qu'il pouvait s'agir d'un endroit sacré.

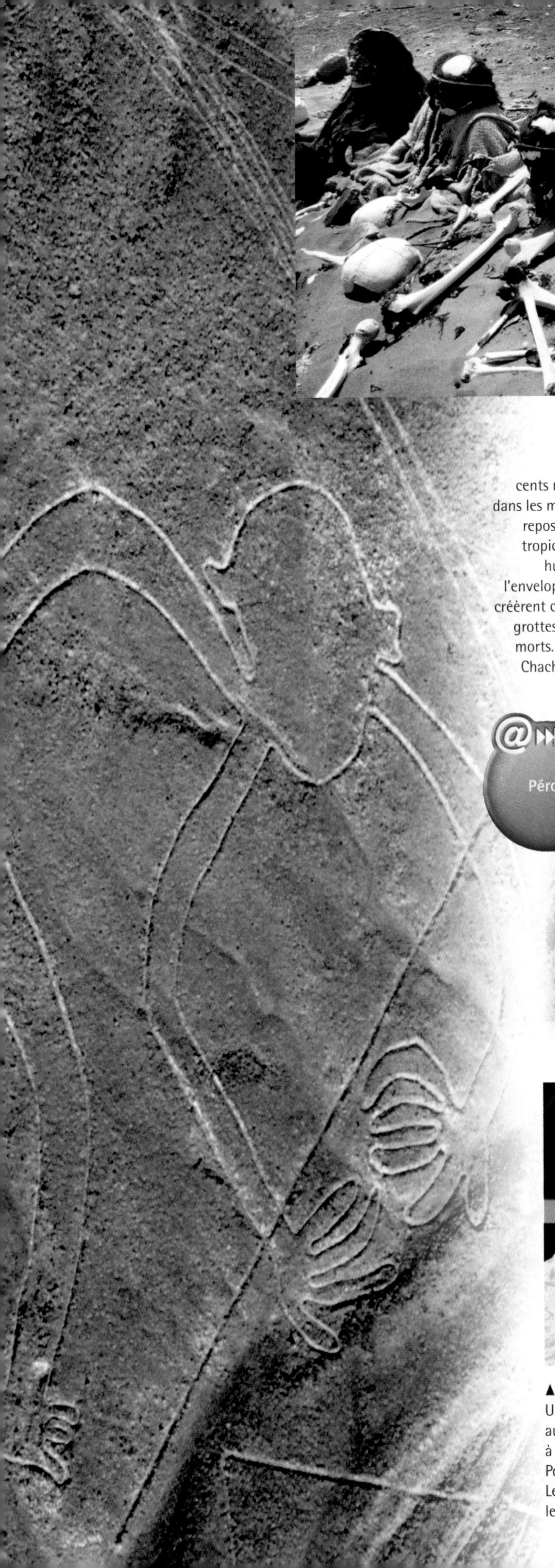

◄ DES TOMBES PILLÉES

Près des lignes de Nazca se trouvent des cimetières abritant des milliers de momies, datant de 200 à 700 apr. J.-C. Ce sont peut-être celles des hommes qui tracèrent ces figures dans le désert, car leurs poteries sont ornées de motifs similaires. Beaucoup de sépultures ont été pillées. Les tissus enveloppant les momies renferment en effet des poteries et d'autres biens funéraires de valeur pouvant être vendus dans le monde entier.

LES « GUERRIERS DES NUAGES » ►

En 1996, on trouva plus de deux cents momies sur une corniche rocheuse, dans les montagnes du nord du Pérou. Elles reposaient au beau milieu d'une forêt tropicale d'altitude, au climat frais et humide en raison des nuages qui l'enveloppent souvent. Les peuples qui créèrent ces momies recherchèrent des grottes sèches pour préserver leurs morts. Les Incas les appelaient les Chachapoyas, ce qui signifierait « guerriers des nuages ».

@ ►►
Pérou

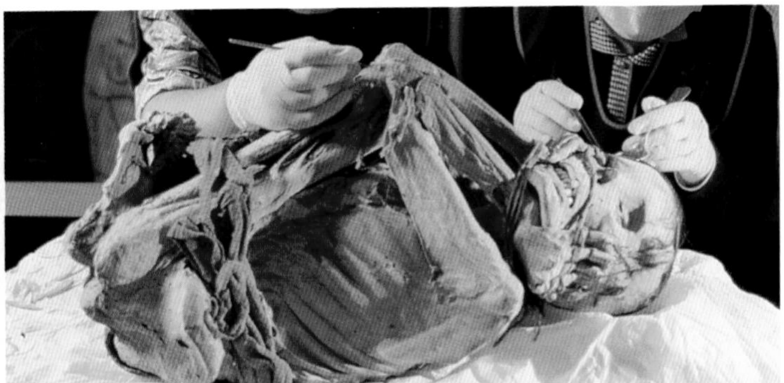

▲ L'EXAMEN DES CHACHAPOYAS

Un examen approfondi montre que les plus anciennes momies chachapoyas, remontant au IXe siècle, séchaient naturellement. Au XVe siècle, les Chachapoyas commencèrent à embaumer leurs morts en ôtant leurs organes et en tannant leur peau.
Pour leur donner une apparence vivante, ils rembourraient les visages avec du coton.
Les scientifiques sont en train d'identifier les maladies dont souffraient les Chachapoyas, comme la tuberculose vertébrale.

Fausse tête :
la vraie est
dans le «cocon».

L'EMPIRE INCA

Les anciens Péruviens n'avaient pas de système d'écriture.
Pour comprendre pourquoi ils momifiaient leurs défunts, nous devons
nous fonder sur les écrits laissés par les Espagnols, qui conquirent
le Pérou dans les années 1530. Le pays était alors au cœur
de l'Empire inca, long de 4 000 km du nord au sud.
Selon les témoignages espagnols, les Incas considéraient
leurs morts préservés comme de puissants esprits
pouvant aider les vivants, s'ils veillaient sur
leurs momies. Le terme inca désignant une momie
signifie «ce qui est gardé avec soin».

◄ UNE MOMIE CHIMÚ
Cette momie fut réalisée par les Chimú,
peuple possédant un empire au Pérou
avant sa conquête par les Incas, en
1476. Incas et Chimú momifiaient
leurs morts en les plaçant dans
un «cocon» de tissu. Les momies
des gens ordinaires étaient souvent
enterrées, mais celles des dirigeants
restaient dans leur palais, où
des serviteurs les éventaient
et leur offraient à boire
et à manger.

EMPIRE INCA, AMÉRIQUE DU SUD

1. Chanchán, capitale chimú
2. Puruchuco, cimetière inca
3. Cuzco, capitale inca

Les couches de coton fin
et de laine dissimulent
le corps ramassé.

LES BIENS FUNÉRAIRES ►
Beaucoup des peuples sous
domination inca plaçaient des
biens funéraires entre
les couches de tissu. Des poupées
(ci-contre), mais aussi des
poteries et des objets en métal
précieux, comme des figurines
et des gobelets en argent.
Les «cocons» de tissu étaient
placés dans différents endroits.
Selon Pedro Cieza de León,
chroniqueur espagnol,
on disposait les momies
de différentes façons : au sommet
de collines élevées, dans
leurs propres maisons ou
dans des tombes ancestrales.

PALAIS CHIMÚ
Voici les murailles en brique crue décorée d'un
palais royal de la capitale chimú, Chanchán.
C'était une immense cité comptant dix
mille habitations, et neuf grands palais accueillant
les souverains chimús momifiés. À la mort d'un
dirigeant, son successeur devait se faire bâtir un
nouveau palais, l'ancien appartenant au défunt.
Cette coutume fut perpétuée par les Incas.

▲ LE TRAVAIL DES MÉTAUX
Au Pérou, les artisans chimús étaient les plus
doués dans l'art de travailler le métal. Ils créaient
des récipients en argent typiques, aux grands yeux
et au nez crochu. Après avoir conquis l'empire des
Chimú, les Incas firent venir ces artisans à Cuzco,
leur capitale, les obligeant à travailler pour eux.

Incas

LES CONQUISTADORS

Cette gravure du XVIᵉ siècle montre les conquistadors (aventuriers espagnols) prenant le contrôle de l'Empire inca après la capture d'un chef inca. Ces chrétiens considéraient les soins donnés aux momies comme un culte païen. Ils ordonnèrent aux Incas d'enterrer leurs morts sans les momifier, et sortirent les momies royales des palais de Cuzco. Le chroniqueur espagnol Garcilaso de la Vega écrivit : «Ils les transportèrent dans des linceuls blancs à travers les rues et les places, les Indiens tombant à genoux, se prosternant avec des gémissements et des larmes.»

◄ LES MOMIES ROYALES

Bien qu'il ne reste aucune momie royale, ces figurines incas en argent aux coiffes élaborées nous aident à imaginer ce à quoi elles ressemblaient. À la différence de celles enfermées dans un «cocon» de tissu, les momies royales avaient le visage dégagé pour pouvoir manger et boire. Selon l'Espagnol Garcilaso de la Vega, qui les vit : «Leur corps était à ce point intact qu'il ne leur manquait ni cheveux, ni sourcils, ni cils.»

▼ LE MACHU PICCHU

Les Incas étaient un peuple de montagnards vivant à haute altitude, dans les Andes. Le Machu Picchu, éloigné de 80 km de Cuzco, au cœur de la montagne, ne fut jamais découvert par les conquistadors. Pourtant, ce site cérémoniel inca fut abandonné à l'époque de la conquête espagnole. On le doit probablement à l'effondrement de la société inca, dévastée par la guerre et les maladies apportées par les Espagnols. Le Machu Picchu ne fut découvert qu'en 1911.

▲ DÉMAILLOTEMENT À PURUCHUCO

Voici le démaillotement de la momie d'une jeune femme, dont le «cocon» contenait aussi ses deux enfants. Ils furent trouvés en 1999 dans un vaste cimetière inca à Puruchuco, en dehors de Lima, capitale actuelle du Pérou. On y a découvert plus de 2 200 «cocons» datant de 1438 à 1530. Le cimetière pourrait compter en tout 15 000 occupants et constituer un large échantillon de la société inca.

LES MOMIES INCAS

Certaines des momies les plus spectaculaires viennent des Andes. Depuis 1980, l'explorateur américain Johan Reinhard a réalisé plus d'une centaine d'ascensions dans ces montagnes, découvrant quarante sites rituels incas. Parmi ses principales trouvailles, on compte dix-huit enfants naturellement momifiés par le froid. Ces derniers furent emmenés à haute altitude pour y être offerts aux dieux incas. D'anciens écrits espagnols décrivent ces sacrifices appelés *capacochas*. Ces enfants étaient à la fois des cadeaux et des messagers, envoyés par les Incas pour demander leur aide aux dieux.

► LES VESTIGES DE LA CITÉ ROYALE
Voici Sacsayhuaman où se trouvent les vestiges de fortifications faisant jadis partie de Cuzco. Dans cette cité royale, les enfants à sacrifier étaient présentés à l'empereur inca et on donnait un grand festin en leur honneur. Puis une procession les emmenait sur un sommet. Les montagnes étaient considérées comme de puissants dieux dont il fallait s'assurer la bienveillance. D'elles venaient la pluie bénéfique aux récoltes, mais aussi les orages, éruptions et avalanches.

Incas

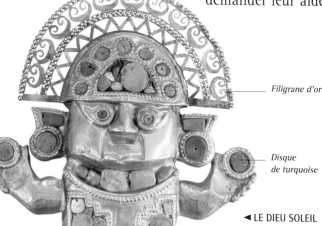

◄ LE DIEU SOLEIL
Cette figurine en or, manche d'un poignard chimú, tient deux disques de turquoise suggérant que c'est une représentation du dieu Soleil. Le soleil était un dieu important pour d'autres peuples. C'était le dieu le plus puissant des Incas, qui le considéraient comme leur protecteur. Peut-être avait-il droit à des sacrifices comme les dieux des montagnes.

Filigrane d'or

Disque de turquoise

RECHERCHES DE REINHARD

ABRI INCA
Reinhard localisa les momies gelées en suivant les traces laissées par la procession inca, comme cet abri de pierre. Au cours de leur ascension, les Incas dressaient des camps où passer la nuit et s'abriter des vents glaciaux. Au sommet, Reinhard trouva des plates-formes entourées de pierres, sur lesquelles les enfants étaient sacrifiés.

DÉCOUVERTE D'UNE MOMIE
Cette photo montre la découverte d'une momie au sommet d'une montagne. Températures glaciales et manque d'oxygène rendent difficiles l'ascension et les fouilles. Reinhard pouvait compter sur une équipe de Péruviens. Comme les Incas, ils sont adaptés à la vie en haute altitude : leurs poumons sont plus grands que la moyenne.

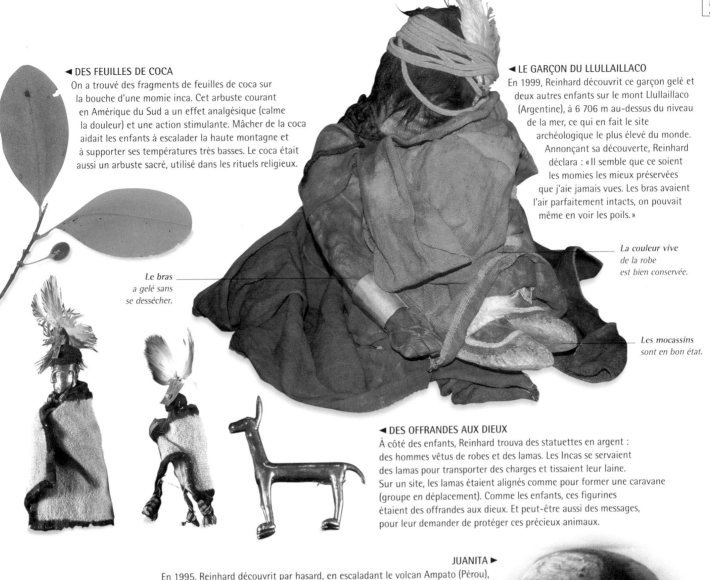

◄ DES FEUILLES DE COCA

On a trouvé des fragments de feuilles de coca sur la bouche d'une momie inca. Cet arbuste courant en Amérique du Sud a un effet analgésique (calme la douleur) et une action stimulante. Mâcher de la coca aidait les enfants à escalader la haute montagne et à supporter ses températures très basses. Le coca était aussi un arbuste sacré, utilisé dans les rituels religieux.

◄ LE GARÇON DU LLULLAILLACO

En 1999, Reinhard découvrit ce garçon gelé et deux autres enfants sur le mont Llullaillaco (Argentine), à 6 706 m au-dessus du niveau de la mer, ce qui en fait le site archéologique le plus élevé du monde. Annonçant sa découverte, Reinhard déclara : «Il semble que ce soient les momies les mieux préservées que j'aie jamais vues. Les bras avaient l'air parfaitement intacts, on pouvait même en voir les poils.»

La couleur vive de la robe est bien conservée.

Le bras a gelé sans se dessécher.

Les mocassins sont en bon état.

◄ DES OFFRANDES AUX DIEUX

À côté des enfants, Reinhard trouva des statuettes en argent : des hommes vêtus de robes et des lamas. Les Incas se servaient des lamas pour transporter des charges et tissaient leur laine. Sur un site, les lamas étaient alignés comme pour former une caravane (groupe en déplacement). Comme les enfants, ces figurines étaient des offrandes aux dieux. Et peut-être aussi des messages, pour leur demander de protéger ces précieux animaux.

JUANITA ►

En 1995, Reinhard découvrit par hasard, en escaladant le volcan Ampato (Pérou), la momie gelée d'une jeune fille de quatorze ans que l'on appela Juanita. Le scanner révéla qu'elle avait reçu un coup puissant sur le côté droit de la tête. C'est peut-être ce qui la tua, à moins qu'elle ne se soit cognée lorsque son corps roula dans le volcan. Ses organes, ses cheveux et son sang étaient bien préservés, comme si elle était morte récemment, et non voilà cinq cents ans.

Ce vêtement en laine fine indique que Juanita appartenait à une famille importante.

De la glace préserve la momie dans le musée.

LES CHASSEURS DE TÊTES

Au fil de l'histoire, dans le monde entier, des peuples guerriers ont coupé les têtes de leurs ennemis vaincus pour les garder comme trophées. Les plus célèbres sont les Jivaros, qui vivent toujours en Équateur, dans la forêt tropicale. C'est leur méthode de préservation qui rendait les Jivaros uniques. Ils ôtaient la peau du crâne et la faisaient rétrécir, ce qui donnait un affreux trophée de la taille d'une orange, appelé *tsantsa*. Les Jivaros réalisaient cette *tsantsa* pour capturer l'esprit d'un ennemi, qui devait rendre son possesseur plus puissant.

FORÊT TROPICALE ÉQUATORIENNE

PEUPLE :	Jivaros
TECHNIQUE :	réduction de têtes
DÉCOUVERTE :	XIXᵉ siècle

◄ UNE *TSANTSA* JIVARO
Les Jivaros créaient des *tsantsas* pour se venger du mal commis par les membres d'une autre tribu. Ils pensaient que ne pas venger les ancêtres les mettrait en colère et serait source de malheur. En réalisant une *tsantsa*, un chasseur de têtes jivaro devait se protéger de l'esprit du mort en lui cousant yeux et lèvres. Selon les croyances jivaros, cela piégeait l'esprit à l'intérieur et l'empêchait de voir et de parler.

UNE RÉPLIQUE DE *TSANTSA* ►
En comparant le nez de cette tête réduite à celui d'une authentique *tsantsa*, les experts peuvent dire que c'est un faux. Les Occidentaux sont fascinés par ces têtes depuis la découverte de l'existence des Jivaros, au XIXᵉ siècle. Pour répondre à la demande des collectionneurs et des musées, les taxidermistes ont réalisé beaucoup de répliques de *tsantsas*, en se servant de peau de chèvre ou de singe, ou en volant des cadavres à la morgue. Cette copie est en peau de chèvre.

FABRIQUER ET UTILISER UNE « TSANTSA »

Jivaros

◄ LA FORÊT TROPICALE ÉQUATORIENNE
Différentes tribus jivaros vivent encore en Équateur, dans la forêt tropicale. Jusqu'au XXᵉ siècle, ces tribus ne connurent que l'état de guerre. Tout raid (attaque) devait être vengé, ce qui entraîna un sanglant cercle vicieux. Ces meurtres incessants forcèrent les tribus à vivre dans des villages fortifiés. Les hommes jivaros portaient toujours une arme, pour chasser et se défendre contre les intrus.

RÉDUIRE
Après avoir détaché la peau du crâne, les Jivaros la grattaient pour en ôter la chair et cousaient la bouche et les yeux. Puis ils faisaient bouillir la tête près de deux heures dans un mélange d'eau et d'herbes. C'était le début du processus de réduction. Les Jivaros rembourraient la *tsantsa* avec des pîerres et du sable chauffés.

ENSEIGNER
Cet ancien, photographié dans les années 1950, utilise une *tsantsa* pour apprendre à ses fils à détester et à craindre leurs ennemis. Dès leur jeune âge, on disait aux garçons qu'il était de leur devoir de venger leurs ancêtres en chassant des têtes. Plus ils en posséderaient, plus ils seraient réputés.

EXPOSER
Les Jivaros exposaient les *tsantsas* sur les murs de leurs maisons et les portaient autour du cou pour les occasions spéciales. Lors des fêtes cérémonielles, les guerriers dansaient en les brandissant et « rejouaient » les raids réussis. Ils le faisaient pour impressionner leur tribu, et plaire aux esprits des ancêtres.

LES MOMIES MEXICAINES

Le peuple aztèque (Mexique) sacrifiait ses ennemis et exposait leurs crânes en grand nombre, comme trophées de guerre. La conquête espagnole des années 1520 y mit un terme, mais l'idée de voir les morts perdure à travers une fête. Lors du jour des Morts, les gens exhibent des *calaveras* (squelettes) dans chaque ville et village du Mexique. C'est une fête joyeuse, car les âmes des défunts reviennent côtoyer leurs parents vivants. On peut aussi regarder la mort en face en allant voir les momies naturelles présentes au musée de Guanajuato (Mexique).

GUANAJUATO, MEXIQUE

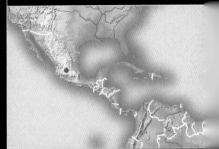

SITE :	Panthéon, Guanajuato
MISE AU JOUR :	entre 1896 et 1979
TOTAL :	plus de 100 corps exposés

@ ▸▸

Mexique

◄ LES *CALAVERAS*

Les Mexicains célèbrent les festivités du jour des Morts les 1er et 2 novembre, lors de deux fêtes catholiques : Toussaint et fête des Trépassés. À cette occasion, ils vont pique-niquer dans les cimetières avec leurs chers disparus, s'offrent des *calaveras* – poupées et bonbons en forme de squelettes. Ils fabriquent aussi des pantins en bois ou en papier mâché, qu'ils font danser. Généralement, ces squelettes sourient, les Mexicains pensant que les morts reviennent pour s'amuser, pas pour faire peur.

Cette calavera *a des jambes mobiles pour pouvoir danser.*

LA MOMIE DE GUANAJUATO ►
Voici l'une des momies autrefois enterrées au Panthéon de Guanajuato. Les minéraux présents dans le sol sec du cimetière ont peut-être préservé naturellement les corps. Beaucoup ont les yeux ouverts et la bouche béante. C'est le résultat de la rigidité cadavérique – contraction et raidissement musculaires survenant après la mort. Cela prouve que ces corps n'ont pas été embaumés : fermer les yeux et la bouche est l'un des premiers gestes de l'embaumeur.

Pensées destinées aux visiteurs du musée

PANTHÉON ET MUSÉE

CAVEAUX
Une momie repose au sommet de cette pile de crânes et d'os, entassés dans les caveaux du Panthéon (cimetière). Beaucoup des défunts qui y sont inhumés furent déterrés entre 1896 et 1979, lorsque leur famille ne régla plus la concession (taxe pour l'espace occupé par la sépulture). On voit que les corps n'ont pas tous été momifiés.

MOMIES HABILLÉES
Plus de cent momies bien préservées sont exposées, dans des vitrines en verre, au musée du Panthéon. Certaines ont des vêtements, d'autres sont nues ou seulement chaussées. Certains corps tiennent des cartons porteurs de pensées comme : «Voilà comment vous voyez ma vie ; voilà comment je vois la vérité.»

MYSTÈRE ARCTIQUE

En 1845, l'explorateur britannique sir John Franklin pénétra dans l'Arctique canadien avec deux bateaux et cent vingt-huit hommes. On ne les revit jamais. En 1984, on exhuma les corps de trois marins sur l'île de Beechey, dans l'océan Arctique. Ils étaient enterrés profondément dans le sol gelé, et le froid les avait parfaitement préservés. On les examina pour découvrir la cause de leur mort, dans l'espoir de résoudre un des plus grands mystères de l'histoire de l'exploration. Qu'était-il arrivé à l'expédition de Franklin ?

▲ SIR JOHN FRANKLIN
Cette plaque en bronze représente sir John Franklin. Il avait pour mission de trouver le passage du Nord-Ouest, route maritime reliant l'Atlantique au Pacifique en contournant le nord de l'Amérique. Les explorateurs européens y aspiraient depuis le XVIᵉ siècle, et beaucoup de navires s'étaient perdus en tentant de l'atteindre. L'expédition de Franklin était la plus importante jamais montée.

L'EXPÉDITION DE FRANKLIN

Nous savons qu'après avoir dépassé le Groenland, Franklin passa son premier hiver arctique (1845-1846) sur l'île de Beechey. C'est là que l'on trouva les tombes des trois marins. On a reconstitué la suite de son trajet à partir des objets laissés par l'équipage, comme des boîtes de conserve et des fourchettes en argent, et d'une note rédigée par les officiers de Franklin qui fut découverte sur la terre du Roi-Guillaume.

Cette note indique que, à l'été 1846, les navires firent route vers le sud, mais furent piégés par les glaces de la terre du Roi-Guillaume. Franklin y mourut en juin 1847 et le capitaine Crozier prit le commandement. En avril 1848, après dix-neuf mois passés à attendre la fonte de la banquise, Crozier décida d'abandonner les bateaux et de se diriger vers le sud avec ses hommes. Les derniers survivants de l'expédition de Franklin furent vus par des autochtones inuits en 1850.

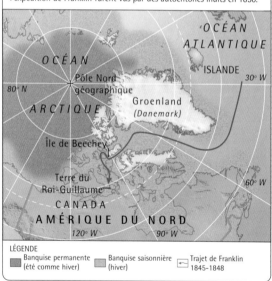

OCÉAN
ATLANTIQUE

ISLANDE
30° W

OCÉAN

Pôle Nord
géographique
80° N

ARCTIQUE

Groenland
(Danemark)

Île de Beechey

Terre du
Roi-Guillaume
60° W

CANADA

AMÉRIQUE DU NORD
120° W   90° W

LÉGENDE
- ■ Banquise permanente (été comme hiver)
- ■ Banquise saisonnière (hiver)
- ↩ Trajet de Franklin 1845-1848

▼ LES RÉCITS INUITS
Les Inuits sont le seul peuple autochtone vivant dans le vaste Arctique nord-américain. Ils sont bien adaptés à la vie sous un climat glacial. Selon les récits inuits, en 1850, ils virent quarante hommes blancs mourant de faim traverser à pied, en direction du sud, la mer gelée bordant la terre du Roi-Guillaume. Ces hommes expliquèrent par signes que leur bateau avait été broyé par la glace. Plus tard, les Inuits trouvèrent les corps d'un grand nombre de ces hommes. Des marques de couteau sur les os indiquaient qu'ils avaient été mangés par leurs compagnons.

▲ PRIS PAR LES GLACES
Voici une illustration libre d'un des navires de Franklin, le *Terror*, pris dans les glaces au large de la terre du Roi-Guillaume. Le *Terror* et son jumeau, l'*Erebus*, étaient les bâtiments les mieux équipés de la marine britannique. Ils transportaient des instruments scientifiques de pointe, dont un appareil photographique, qui venait d'être inventé. Ils avaient aussi des vivres pour plus de trois ans, dont huit mille boîtes de viande, de soupe et de légumes en conserve.

@▶▶
Arctique

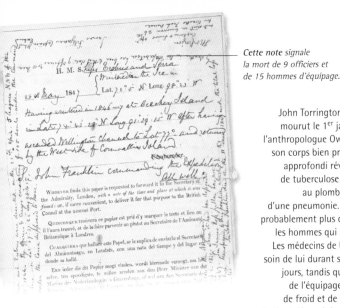

Cette note signale la mort de 9 officiers et de 15 hommes d'équipage.

JOHN TORRINGTON ▶

John Torrington, matelot de vingt ans, mourut le 1er janvier 1846. En 1984, l'anthropologue Owen Beattie retrouva son corps bien préservé. Un examen approfondi révéla qu'il souffrait de tuberculose et d'intoxication au plomb, mais qu'il périt d'une pneumonie. Torrington eut probablement plus de chance que les hommes qui l'enterrèrent. Les médecins de bord prirent soin de lui durant ses derniers jours, tandis que le reste de l'équipage mourut de froid et de faim en tentant désespérément de s'échapper par le sud.

▲ LE COMPTE RENDU DES OFFICIERS

Voici la note rédigée par les officiers de Franklin et trouvée sur la terre du Roi-Guillaume. Elle indique l'abandon des navires en 1848 ainsi que la perte de vingt-quatre hommes, dont Franklin. Elle n'explique pas la façon dont ils sont morts. Ce taux de décès est inhabituellement élevé pour une expédition aussi bien préparée. Ce qui prouve que quelque chose avait dû terriblement mal tourner.

FER-BLANC MORTEL

Franklin fut l'un des premiers explorateurs à utiliser la nourriture en conserve. Cette boîte est l'un des objets découverts en Arctique. Beaucoup des boîtes trouvées n'étaient pas hermétiquement fermées et les aliments devaient avoir pourri. Par ailleurs, les soudures étaient à base de plomb, qui est toxique. Les trois marins examinés souffraient d'intoxication par le plomb, qui a dû causer nombre des décès.

Cercueil en acajou fabriqué par le charpentier du bateau

L'uniforme marin est intact.

Des cordelettes et des bandes de coton maintiennent les membres en place.

UN MÉMORIAL ARCTIQUE ▶

À partir de 1848, des dizaines d'expéditions sillonnèrent l'Arctique pour retrouver Franklin ou tenter d'en savoir plus sur son sort. La dernière expédition officielle, de 1852 à 1854, était menée par le capitaine Edward Belcher, qui fit dresser ce monument sur l'île de Beechey. Si elles ne retrouvèrent jamais Franklin, ces équipes de secours cartographièrent tout l'Arctique canadien et trouvèrent le passage du Nord-Ouest.

Le monument de Belcher commémore tous ceux qui moururent en cherchant Franklin.

Les mains sont bien préservées.

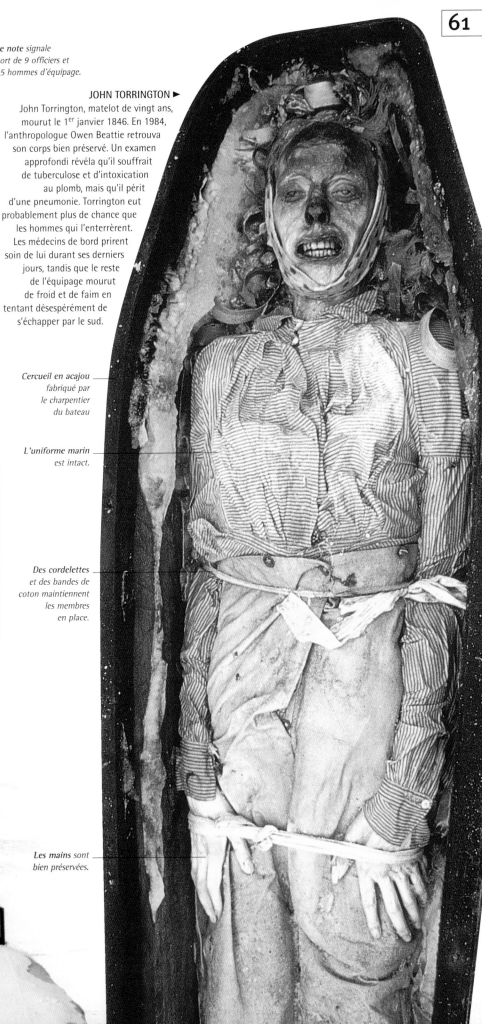

ÖTZI, L'HOMME DES GLACES

Le 19 septembre 1991, Helmut et Erika Simon, deux randonneurs allemands se promenant dans les Alpes de l'Ötztal, entre l'Autriche et l'Italie, trouvèrent le corps d'un homme, étendu dans la glace. Ils supposèrent que c'était un alpiniste mort récemment et déclarèrent leur découverte aux autorités. Mais ses biens étranges, dont une cape en herbe et des flèches à pointe de silex, prouvèrent qu'il était très ancien. Cet homme, que l'on appela «Ötzi», vivait il y a 5 300 ans, à l'âge du cuivre – période où l'on utilisa pour la première fois en Europe des outils en métal.

ALPES ITALO-AUTRICHIENNES

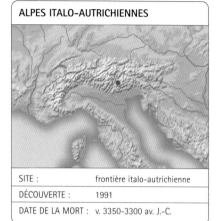

SITE :	frontière italo-autrichienne
DÉCOUVERTE :	1991
DATE DE LA MORT :	v. 3350-3300 av. J.-C.

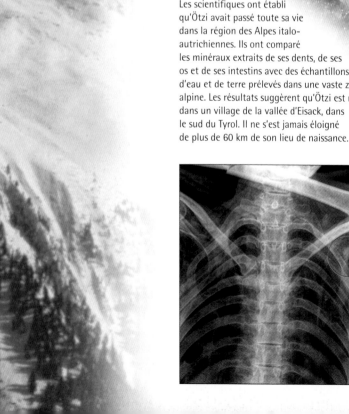

La peau n'a ni poils ni cheveux. Ils se sont désagrégés.

◄ **PIÉGÉ DANS LA GLACE**
Si Ötzi semblait nu lorsqu'on le trouva, il était entouré de fragments de vêtements et d'autres objets. Le libérer de la glace ne fut pas chose aisée, même avec un marteau piqueur. Cette photo fut prise le 20 septembre 1991, lorsqu'il fallut abandonner la première tentative, la réserve d'air du marteau piqueur étant épuisée. Ötzi dut attendre le 23 septembre pour être libre.

La glace a été creusée au marteau piqueur pour dégager le corps.

◄ **L'HOMME DES ALPES**
Les scientifiques ont établi qu'Ötzi avait passé toute sa vie dans la région des Alpes italo-autrichiennes. Ils ont comparé les minéraux extraits de ses dents, de ses os et de ses intestins avec des échantillons d'eau et de terre prélevés dans une vaste zone alpine. Les résultats suggèrent qu'Ötzi est né dans un village de la vallée d'Eisack, dans le sud du Tyrol. Il ne s'est jamais éloigné de plus de 60 km de son lieu de naissance.

Pointe de flèche

Poignard en silex

◄ **LA RADIO D'UNE BLESSURE**
On découvrit en 2001 la cause de la mort d'Ötzi, grâce à cette scanographie. Elle montre une pointe de flèche en silex logée entre l'omoplate et la cage thoracique, tirée par-derrière. Elle a dû entraîner une grave hémorragie interne, qui a fini par provoquer la mort. On n'a pas retrouvé la hampe, qu'Ötzi aurait eu du mal à extraire seul. C'est la preuve qu'on l'y a aidé.

UN PRÉLÈVEMENT D'ADN ▲
L'analyse ADN du sang trouvé sur les armes et les vêtements d'Ötzi indique qu'il est mort après un combat acharné impliquant au moins quatre autres personnes. On a retrouvé sur la pointe d'une flèche le sang de deux hommes, ce qui signifie qu'il a tué avec elle deux ennemis avant de la reprendre. Il y avait le sang d'un autre homme sur la lame de son poignard. Le sang d'un quatrième homme, sur les habits d'Ötzi, suggère qu'il a transporté un compagnon blessé sur ses épaules.

EXAMINER LE CORPS ▶

Les scientifiques ont examiné dans le détail le corps d'Ötzi et découvert beaucoup de choses sur sa santé. La pousse de son unique ongle restant montre qu'il a été gravement malade trois fois durant la dernière année de sa vie. Il souffrait aussi d'arthrite et était infesté de puces et de vers parasites, qui lui donnaient la diarrhée. Les savants ont aussi établi qu'il avait environ quarante-six ans, âge avancé pour un homme préhistorique.

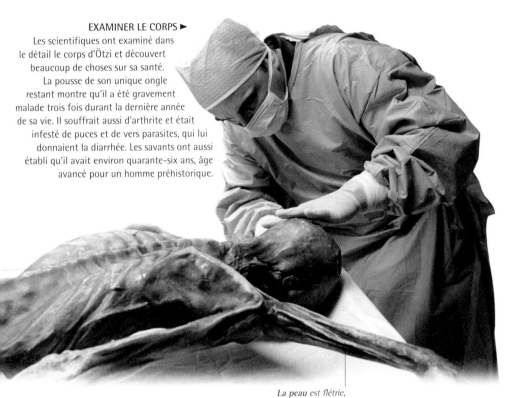

*La peau est flétrie,
à cause de la déshydratation.*

PRÉSERVER LA DÉPOUILLE ▲

Ötzi ayant été trouvé sur la frontière italo-autrichienne, il y eut litige quant à savoir à quel pays il appartenait. Il fut d'abord gardé en Autriche, à l'université d'Innsbruck. Les Italiens purent cependant prouver qu'on l'avait découvert 92,60 m à l'intérieur de leur frontière, et entrèrent en sa possession en 1998. On peut maintenant voir Ötzi dans sa chambre froide avec «vue», dans le Musée d'archéologie du Tyrol du Sud, spécialement construit pour lui à Bolzano (Italie).

VÊTEMENTS ET ÉQUIPEMENT

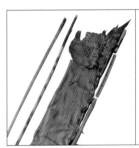

COIFFURE EN PEAU D'OURS

Les vêtements et les affaires d'Ötzi – quelque soixante-dix objets – nous offrent un voyage dans le temps en nous montrant la vie à l'âge du cuivre. Sa toque, comme la semelle de ses chaussures, est en peau d'ours. Cela prouve qu'Ötzi travaillait les peaux et les cousait, mais l'absence de textiles indique qu'il ne savait pas tisser.

FLÈCHES

Le carquois (étui à flèches) en peau de cerf contenait quatorze flèches en viorne et cornouiller (bois), dont les pointes de silex étaient fixées à l'aide de goudron de bouleau et de tendons. Deux seulement étaient préparées : la hampe était munie de plumes pour les faire tourner sur elles-mêmes et améliorer la précision et la distance parcourue.

HACHE EN CUIVRE

Le plus précieux bien d'Ötzi était une hache, lame en cuivre fixée à un manche en bois d'if par des lanières de cuir pour couper et tailler le bois. Des recherches montrent que du cuivre était extrait non loin, et une théorie veut qu'Ötzi ait lui-même travaillé comme forgeron. C'est la seule hache préhistorique complète jamais trouvée.

ÖTZI RENDU À LA VIE ▶

Comme le montre ce mannequin, Ötzi était équipé pour survivre dans les Alpes. Sous sa cape en herbe, qui pouvait servir de couverture la nuit, il portait plusieurs couches de vêtements chauds en peau de chèvre et de cerf. Il était bien armé, avec un puissant arc droit en if, bois souple idéal pour cet usage. Sa «trousse» de survie incluait des silex pour allumer un feu, des baies pour se nourrir et deux morceaux d'agaric, champignon servant peut-être de médicament.

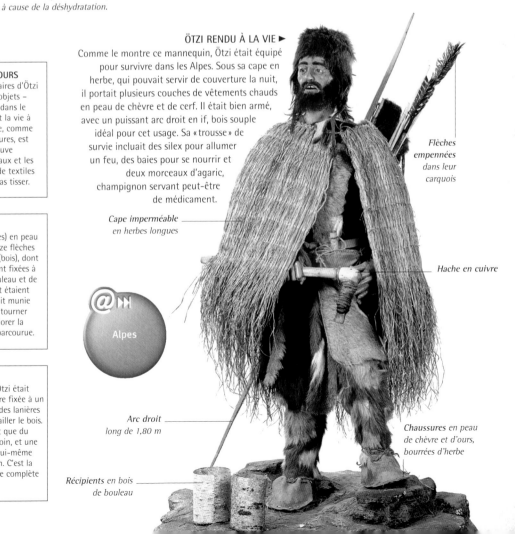

*Cape imperméable
en herbes longues*

@▶▶ Alpes

Flèches empennées dans leur carquois

Hache en cuivre

*Arc droit
long de 1,80 m*

*Chaussures en peau
de chèvre et d'ours,
bourrées d'herbe*

*Récipients en bois
de bouleau*

LA MOMIE DES TOURBIÈRES

Le 8 mai 1950, Emil et Viggo Hoejgaard travaillaient à extraire de la tourbe près du village danois de Tollund lorsqu'ils virent brusquement apparaître un visage. Il était si bien conservé qu'ils pensèrent qu'il s'agissait de la victime d'un meurtre récent. Les deux frères prévinrent la police qui, ayant connaissance de trouvailles analogues, fit venir des archéologues. Le plus grand spécialiste des momies des tourbières, P. V. Glob, arriva sur les lieux ce soir-là. À la profondeur de la tourbe, il comprit que celui que l'on appelle aujourd'hui l'Homme de Tollund avait au moins deux mille ans.

@ ▸▸ Europe du Nord

▲ LA TOURBIÈRE DE TOLLUND

Lorsque l'Homme de Tollund mourut, la tourbe solide dans laquelle on le trouva était une mare d'eau contenant du tanin, substance détruisant les bactéries et protégeant la peau. Pour la préserver, l'eau ne doit pas dépasser 4 °C plusieurs mois durant. Comme la plupart des momies, l'Homme de Tollund mourut probablement en hiver, quand les températures étaient basses. Avec le temps, il a été recouvert par des couches de végétaux morts, principalement de la sphaigne (mousse), qui a transformé l'eau en tourbe.

NATURELLEMENT PRÉSERVÉ ▼

Voici le visage obsédant de l'Homme de Tollund, remarquablement bien préservé. Il porte un bonnet en cuir pointu, solidement attaché sous son menton par une lanière de peau. Il a sur le menton et au-dessus de la lèvre supérieure une barbe de quelques jours. Il semble se reposer, mais le nœud coulant en cuir autour de son cou indique une mort violente.

Nœud coulant en cuir serré autour du cou

Ceinture en cuir à la taille

Barbe de quelques jours

▲ LA CAUSE DE LA MORT

L'Homme de Tollund fut retrouvé portant un nœud coulant en cuir autour du cou. La façon dont il est enroulé suggère qu'il a été pendu. Ensuite, ceux qui l'ont exécuté ont pris la peine de lui fermer les yeux et de l'allonger soigneusement sur une mince couche de mousse, en chien de fusil, comme s'il dormait.

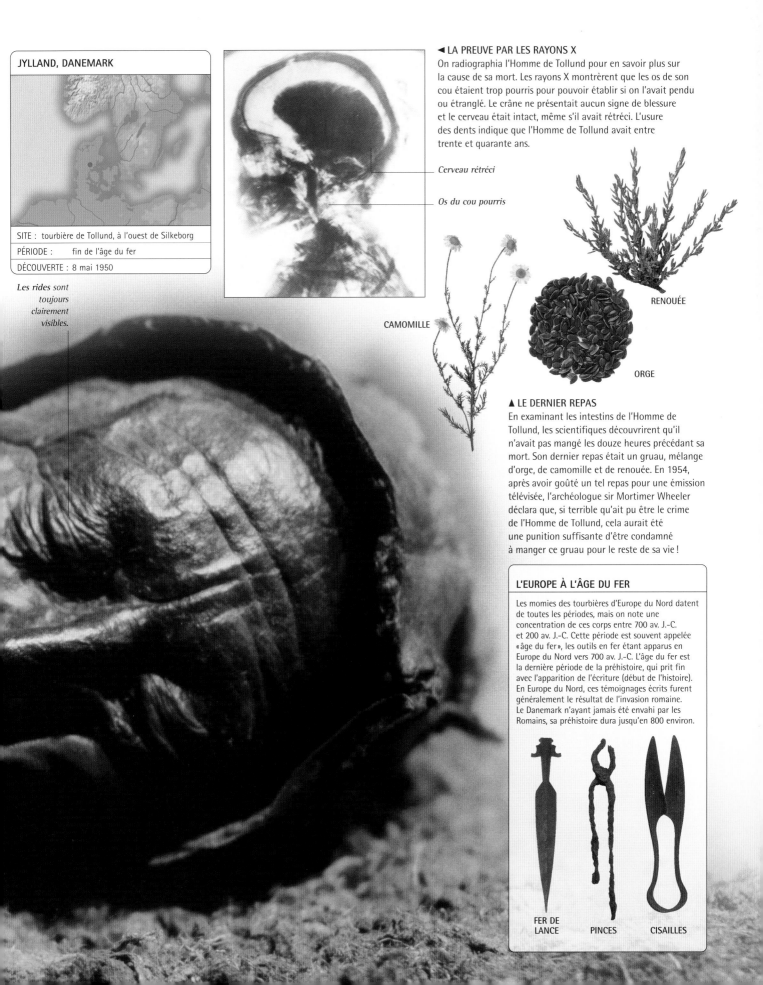

JYLLAND, DANEMARK

SITE : tourbière de Tollund, à l'ouest de Silkeborg

PÉRIODE : fin de l'âge du fer

DÉCOUVERTE : 8 mai 1950

Les rides sont toujours clairement visibles.

◄ LA PREUVE PAR LES RAYONS X

On radiographia l'Homme de Tollund pour en savoir plus sur la cause de sa mort. Les rayons X montrèrent que les os de son cou étaient trop pourris pour pouvoir établir si on l'avait pendu ou étranglé. Le crâne ne présentait aucun signe de blessure et le cerveau était intact, même s'il avait rétréci. L'usure des dents indique que l'Homme de Tollund avait entre trente et quarante ans.

Cerveau rétréci

Os du cou pourris

RENOUÉE

CAMOMILLE

ORGE

▲ LE DERNIER REPAS

En examinant les intestins de l'Homme de Tollund, les scientifiques découvrirent qu'il n'avait pas mangé les douze heures précédant sa mort. Son dernier repas était un gruau, mélange d'orge, de camomille et de renouée. En 1954, après avoir goûté un tel repas pour une émission télévisée, l'archéologue sir Mortimer Wheeler déclara que, si terrible qu'ait pu être le crime de l'Homme de Tollund, cela aurait été une punition suffisante d'être condamné à manger ce gruau pour le reste de sa vie !

L'EUROPE À L'ÂGE DU FER

Les momies des tourbières d'Europe du Nord datent de toutes les périodes, mais on note une concentration de ces corps entre 700 av. J.-C. et 200 av. J.-C. Cette période est souvent appelée «âge du fer», les outils en fer étant apparus en Europe du Nord vers 700 av. J.-C. L'âge du fer est la dernière période de la préhistoire, qui prit fin avec l'apparition de l'écriture (début de l'histoire). En Europe du Nord, ces témoignages écrits furent généralement le résultat de l'invasion romaine. Le Danemark n'ayant jamais été envahi par les Romains, sa préhistoire dura jusqu'en 800 environ.

FER DE LANCE

PINCES

CISAILLES

LES SACRIFICES

Voilà des siècles que l'on retrouve, dans toute l'Europe du Nord, des corps préservés par la tourbe. Mais ce n'est que récemment que les archéologues ont découvert un fait remarquable : chaque fois qu'ils ont pu établir la cause du décès, la mort était violente. Les hommes morts naturellement n'étaient pas déposés dans des mares sombres pour y reposer. Les momies des tourbières ont été victimes de pendaison, strangulation, coups à la tête, égorgement, noyade. Plusieurs «méthodes» étaient parfois associées. S'agissait-il de meurtres ou d'exécutions rituelles?

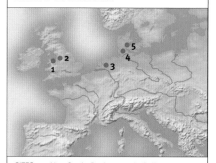

EUROPE OCCIDENTALE

SITES : 1. Llyn Cerrig Bach, pays de Galles ;
2. Lindow Moss, Angleterre ; 3. Yde, Pays-Bas ;
4. Windeby, Allemagne ; 5. Huldremose, Danemark.

Corne creuse
faite avec une plaque
de bronze

Des rivets fixent
les pièces en
bronze les unes
aux autres.

▲ LE CASQUE DE WATERLOO

Ce casque en bronze fut découvert en 1868 dans la Tamise, à Waterloo (Londres). On a trouvé quantité d'objets de «ferronnerie» similaires dans des fleuves, des rivières, des lacs, des sources et des marécages d'Europe du Nord. Les archéologues pensent qu'il est impossible que tous aient été perdus par négligence. Des objets comme ce casque étaient trop précieux pour cela. Ils doivent avoir été placés délibérément dans l'eau, dans le cadre de sacrifices ou d'offrandes aux dieux.

Des boutons
en verre coloré
ornent des volutes
en relief.

◀ LE BOUCLIER DE BATTERSEA

Comme le casque, ce bouclier en bronze richement orné passa deux mille ans au fond de la Tamise. On le trouva en 1857 à Battersea (Londres). Ces deux pièces présentent les motifs curvilignes typiques des Celtes, qui vivaient à l'âge du fer en Grande-Bretagne, en Irlande et dans d'autres régions d'Europe. Il semble que les Celtes considéraient le milieu aquatique comme une entrée sacrée vers le monde souterrain, royaume des dieux.

▲ L'HOMME DE LINDOW

En 1984, des hommes extrayant de la tourbe à Lindow Moss, près de Manchester (Angleterre), découvrirent un corps d'homme nu, vieux de deux mille ans. Les journaux le nommèrent «Pete Marsh», allusion au marais *(marsh)* dans lequel on l'avait trouvé. Son examen indiqua qu'il avait été battu et étranglé, puis égorgé et jeté, face la première, dans la tourbière. Le contenu de son estomac révéla que son dernier repas était un mélange de céréales, de son et de pain grillé. Il avait entre vingt-cinq et trente ans.

@ ▶▶
Europe
du Nord

LA FILLE D'YDE : DÉCOUVERTE, EXAMEN ET RECONSTRUCTION

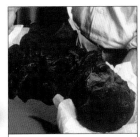

LA DÉPOUILLE
En 1897, on découvrit dans une tourbière, près du village néerlandais d'Yde, le corps d'une adolescente aux longs cheveux roux. On l'avait étranglée avec une bande de laine longue de 2 m, enroulée trois fois autour du cou. La Fille d'Yde fut exposée au musée de Drent (Assent).

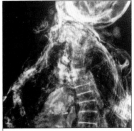

UNE COLONNE DÉFORMÉE
Dans les années 1980, les scientifiques étudièrent la Fille d'Yde et la datèrent du Ier siècle de notre ère. Les rayons X ne décelant pas de dents de sagesse, on lui donna environ seize ans. Elle présentait sous la clavicule une blessure due à un coup de couteau. L'incurvation de sa colonne est due à une scoliose, anomalie sans doute héréditaire.

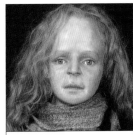

UN VISAGE RECONSTRUIT
On se servit d'une scanographie de la tête de la Fille d'Yde pour réaliser un modèle de son crâne. Richard Neave, spécialiste en reconstruction faciale, façonna muscles et peau avec de l'argile, en se fondant sur de petites pièces de bois figurant l'épaisseur moyenne des tissus faciaux d'une adolescente. Voici un moule en cire de sa reconstruction.

ORNEMENT DE CHAR

ÉPÉE TORDUE

FAUCILLE

CHAÎNE D'ESCLAVE

MORS

▲ DES OBJETS SACRIFICIELS
En 1943, des ouvriers construisant un terrain d'aviation au bord de Llyn Cerrig Bach (« lac de cailloux »), à Anglesey (pays de Galles), découvrirent près de 175 objets : des éléments de chars, brides, épées, trompettes, chaudrons et chaînes servant à attacher des groupes d'esclaves. Il s'agissait d'offrandes répétées, jetées dans le lac sur une période de cent cinquante à deux cents ans. Cette coutume prit fin en 60, lorsque Anglesey fut conquise par les Romains.

LA FEMME D'HULDREMOSE ▶
Il y a lieu de penser que certaines momies des tourbières, au moins, furent les victimes de sacrifices humains et furent offertes aux dieux, jetées à l'eau comme les précieux objets de ferronnerie. Mais l'on ne peut être certain des raisons pour lesquelles elles moururent. Voici la Femme d'Huldremose, autre momie de l'âge du fer trouvée au Danemark. Son corps bien préservé présente de multiples entailles, et son bras droit a été tranché. Qu'elle ait été victime d'un meurtre ou d'un sacrifice, sa mort fut horrible.

Les traits sont bien préservés.

Multiples plaies profondes indiquant des coups répétés

Bras droit tranché

◀ UNE ÉPÉE SACRIFIÉE
Cette épée datant de 1000 av. J.-C. fut trouvée dans les années 1980 à Flag Fen (Angleterre). Elle fut volontairement endommagée avant d'être jetée dans les marais. Beaucoup des objets qu'on y a trouvés étaient brisés ou tordus. C'était une façon de les « tuer » rituellement, pour qu'ils ne soient plus utiles aux vivants. Ils appartenaient ainsi aux dieux habitant sous le lac. Se séparer d'objets aussi précieux conférait peut-être aussi du prestige aux donateurs.

▲ LA FILLE DE WINDEBY
En 1952, on découvrit à Windeby (nord de l'Allemagne) le corps d'une jeune fille du Ier siècle, âgée de quatorze ans. Yeux bandés et abandonnée dans une mare, maintenue par une grosse pierre et des branches de bouleau, elle se noya probablement. Comme l'Homme de Lindow, elle faisait partie des peuples germaniques, voisins orientaux des Celtes avec qui ils partageaient beaucoup de coutumes. Des auteurs latins affirmaient que Germains et Celtes pratiquaient le sacrifice humain.

DES SAINTS ET DES RELIQUES

Les chrétiens célèbrent la vie et l'œuvre des saints, personnes vénérées pour leur sainteté et leurs pouvoirs particuliers. À partir du IVe siècle, voire avant, ils préservèrent leurs corps et conservèrent leurs biens, pensant que ces reliques seraient dotées de leurs pouvoirs. Cette croyance était basée sur des légendes selon lesquelles des objets touchés par le Christ étaient capables de guérir les malades. La relique d'un saint était aussi un lien entre les hommes sur terre et Dieu dans le ciel. Les pèlerins se rendaient dans les sanctuaires pour prier les saints de les aider à monter au paradis.

LA MAIN DE SAINT JEAN-BAPTISTE ▲

Ce reliquaire en or d'Istanbul (Turquie) contient, dit-on, la main droite de saint Jean-Baptiste. C'est celle qui baptisa le Christ – le fils de Dieu pour les chrétiens. C'était donc une relique extrêmement révérée, puisqu'elle avait touché Dieu en personne. Plusieurs sanctuaires sont censés abriter la main droite de saint Jean-Baptiste : celle-ci n'est peut-être pas authentique.

◄ L'HISTOIRE DE SAINT MARC

Ce panneau mural en émail de la basilique Saint-Marc à Venise (Italie) illustre un passage d'une intéressante histoire de vol de relique. Pour toute ville médiévale, posséder le corps d'un grand saint était une importante source de prestige et de richesse. Les Vénitiens n'en avaient aucun. Aussi volèrent-ils en 828 à Alexandrie (Égypte) la dépouille de saint Marc, pour l'apporter à Venise. Les voleurs affirmèrent avoir obéi à la volonté du saint, disant que, s'il l'avait voulu, il aurait pu se servir de ses pouvoirs pour les en empêcher.

AUTRES SAINTS CHRÉTIENS CÉLÈBRES

Les pays catholiques conservent les corps de milliers de saints, la plupart se trouvant en Italie. Ce tableau recense les principaux d'entre eux et indique où se trouvent leurs restes.

NOM	RÔLE	EMPLACEMENT
Saint Jacques le Majeur (mort en 44)	Apôtre de Jésus (disciple du Christ)	Saint-Jacques-de-Compostelle, Espagne
Saint Pierre (mort v. 64)	Apôtre de Jésus et premier pape	Basilique Saint-Pierre, Rome, Italie
Saint Édouard le Confesseur (1003-1066)	Roi d'Angleterre	Abbaye de Westminster, Londres, Angleterre
Saint François d'Assise (v. 1182-1226)	Fondateur de l'ordre des franciscains	Basilique St-François, Assise, Italie
Saint Antoine de Padoue (v. 1195-1231)	Célèbre prédicateur	Basilique St-Antoine, Padoue, Italie
Sainte Thérèse d'Ávila (1515-1582)	Religieuse et mystique célèbre	Couvent Ste-Thérèse, Ávila, Espagne
Saint Vincent de Paul (1581-1660)	Fondateur des lazaristes	Église St-Vincent-de-Paul, Paris, France
Sainte Catherine Labouré (1806-1876)	Membre de la congrégation des Filles de la Charité	Chapelle du couvent des Filles de la Charité, Paris, France

UN SAINT INCORRUPTIBLE ►

François Xavier (1506-1552) est un exemple célèbre d'incorruptibilité : ce saint fut retrouvé parfaitement préservé plusieurs mois après son inhumation. L'Église catholique considère l'incorruptibilité (préservation du corps après la mort) comme un signe manifeste de sainteté. Si la majeure partie de la momie naturelle de saint François Xavier est exposée à Goa (Inde), on trouve des morceaux de son corps ailleurs. Son bras droit est conservé à Rome (Italie) et ses organes internes dispersés dans divers sanctuaires, à travers l'Asie.

RELIQUES BOUDDHISTES

MOINE BOUDDHISTE
Cette relique est la momie naturelle d'un moine bouddhiste thaïlandais, mort en 1973. La religion bouddhiste vénère les reliques et enseigne qu'elles ont le pouvoir d'aider les vivants. La coutume de préserver des reliques débuta avec le Bouddha, fondateur de la doctrine, qui demanda à ses fidèles de conserver sa dépouille mortelle.

RELIQUES DU BOUDDHA
Il existe des milliers de reliques du Bouddha – comme celle-ci, portée dans une procession en Thaïlande. Le Bouddha fut incinéré (brûlé) après sa mort, si bien que la plupart de ses reliques sont de minuscules fragments d'os et de dents. On dit que les reliques du Bouddha ont un autre pouvoir : les bouddhistes pensent que, plus on les vénère, plus il y en a.

▲ BERNADETTE SOUBIROUS
Le corps de Bernadette Soubirous (1844-1879) est un autre exemple d'incorruptibilité. Des membres de l'Église l'ont exhumée trois fois au début des années 1900, à la recherche de signes de décomposition. Un médecin rapporta que « le corps semblait être absolument intact ». Déclarée sainte en 1933, elle repose maintenant dans un sanctuaire à Nevers, dans un reliquaire en verre. Visage et mains sont recouverts d'une couche de cire fabriquée par une entreprise parisienne de mannequins.

Relique

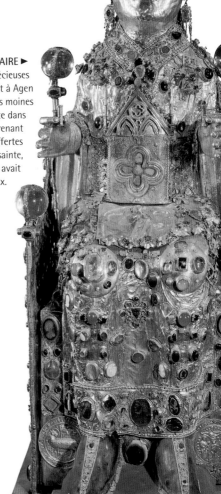

UN PRÉCIEUX RELIQUAIRE ▶
Ce reliquaire en or incrusté de pierres précieuses renferme le crâne de sainte Foy, qui mourut à Agen à douze ans, au IVᵉ siècle. Au IXᵉ siècle, les moines de Conques volèrent le corps de la sainte dans son sanctuaire d'Agen et réalisèrent ce surprenant reliquaire. Les pierres précieuses furent offertes par des pèlerins désireux de plaire à la sainte, car on disait que sainte Foy avait une passion pour les bijoux.

UNE PROCESSION ANNUELLE ▶
La fête de saint Yves se tient chaque année au mois de mai, en Bretagne. Saint Yves (1253-1303) était un juge breton, célèbre pour sa justice et son souci des pauvres. Après sa mort, on le déclara saint patron de la Bretagne et des hommes de loi. Durant la fête annuelle donnée pour lui, de grands avocats portent son crâne lors d'une procession allant de la cathédrale Saint-Tugdual au village de Minihy-Tréguier, lieu de naissance du saint. C'est un grand honneur d'être choisi pour porter sa tête.

LES MOMIES DE PALERME

L'une des plus grandes collections de momies au monde se trouve sous le couvent des capucins de Palerme (Sicile). La plus ancienne date de 1599, époque où les frères découvrirent que le sol calcaire préservait les corps qu'ils y enterraient. Ils momifièrent alors un saint – l'un des membres de leur congégation, frère Silvestro – et l'exposèrent. Bientôt, les riches citoyens de Palerme souhaitèrent bénéficier du même traitement, et les catacombes finirent par se remplir de quelque huit mille corps momifiés.

LA MÉTHODE DE MOMIFICATION

DÉSHYDRATATION
Le corps reposait plusieurs mois dans une cellule. Les murs en pierre à chaux absorbaient l'humidité de l'air, desséchant la chair. Puis le corps était plongé dans un bain de vinaigre, d'arsenic ou de chaux, pour prévenir la décomposition.

SQUELETTE ÉLÉGANT
Une fois desséché, le corps était habillé et placé dans les catacombes à l'endroit choisi, contre un mur. Mais les momies n'étaient pas résistantes; avec le temps, peau et cheveux se désagrégeaient, ne laissant qu'un squelette.

▼ **LES CAPUCINS**
Cette section des catacombes abrite les corps des capucins. Leur ordre religieux fut fondé en Italie dans les années 1520, dans le but de prêcher l'Évangile et d'aider les pauvres. Ils doivent leur nom à leur *cappuccino* (capuchon) distinctif. Certains des hommes présents ici ont peut-être pris part à la momification des morts de Palerme.

Le capuchon (cappuccino) et l'habit sont brun clair, couleur du café au lait.

PALERME, SICILE

SITE :	couvent des capucins
PÉRIODE :	1599-1920
TOTAL :	environ 8 000 momies

◀ LA BELLE AU BOIS DORMANT

Le seul corps parfaitement préservé des catacombes de Palerme est celui de Rosalia Lombardo, surnommée la « Belle au bois dormant ». Rosalia mourut en 1920, à l'âge de deux ans, quelque trente ans après que les capucins eurent cessé la momification. Un médecin sicilien préserva son corps en y injectant des produits chimiques qu'on n'a pas encore identifiés. Il mourut peu après, sans avoir pu révéler les secrets de sa méthode d'embaumement.

Palerme

Beaucoup de momies ne sont plus que des squelettes.

Ce capucin a toujours sa peau et ses cheveux.

Des étiquettes identifient chaque momie.

Mâchoire inférieure maintenue par du fil de fer

Des cordelettes maintiennent les momies debout.

Certains habits sont rembourrés de paille.

LES CATACOMBES DE PALERME

Les habitants catholiques de Palerme pensaient que le Christ finirait par revenir pour rendre la vie aux morts. Pour eux, les catacombes de Palerme étaient le meilleur endroit où attendre la résurrection. Les défunts y sont revêtus de leurs plus beaux habits, prêts à retrouver les êtres chers qui les entourent. Au XVIIIe siècle, les gens du pays allaient chaque jour rendre visite à leurs parents et amis défunts. Ils aimaient leur apporter des fleurs, s'asseoir près d'eux et, peut-être, leur raconter les dernières nouvelles.

▲ ISABELLA GROSSO
La notice dans ce cercueil vitré identifie le corps comme celui de la jeune Isabella Grosso, morte dans les années 1870. À cette époque, la coutume consistant à être momifié puis exposé passait déjà de mode. L'attitude vis-à-vis de la mort changeant, beaucoup de Palermitains ne souhaitaient plus visiter les catacombes, bondées de momies effritées. Dans les années 1880, les autorités siciliennes, inquiètes des risques pour la santé publique, interdirent la pratique de la momification.

LES COULOIRS DES CATACOMBES

UN SYMBOLE DE STATUT
Cet homme porte un haut-de-forme pour montrer aux visiteurs qu'il était membre de l'aristocratie. Les riches et les pauvres finissent égaux devant la mort, mais les habitants de Palerme tenaient à conserver leur statut social après leur décès. Les salles sont donc divisées en sections, en fonction du sexe et du rang social.

LA MODE FÉMININE
Sachant qu'on les exposerait dans les catacombes, beaucoup décrivaient dans leur testament les vêtements qu'ils voulaient porter. Les femmes riches choisissaient leur plus belle robe, comme celle qu'elles mettaient à la messe ou au bal. Certaines tenaient même une ombrelle, comme si elles s'apprêtaient à partir en promenade.

PRÊTRES ET GENS DE MÉTIER
Cet homme aux habits stricts se tient dans la salle des gens de métier, une des sections masculines. On y trouve des officiers de l'armée en uniforme, des professeurs d'université, des médecins et des avocats. Tous ces hommes portent de sobres vêtements foncés. Dans une autre section sont exposés les prêtres, aux vêtements sacerdotaux brodés et colorés.

LA SECTION DES ENFANTS
Les enfants de Palerme ont leur propre section. Quantité de momies de petite taille sont alignées en hauteur, debout dans des niches creusées dans les murs en pierre à chaux. Des parents endeuillés se sont peut-être rendus dans cette section pour passer du temps avec leur enfant disparu, se consolant à l'idée que la mort les réunirait.

UN COULOIR BONDÉ ▲
Ce couloir du début des années 1800 est la dernière partie des catacombes à avoir été construite. Il y avait alors tant de corps qu'il fallut les entreposer dans des cercueils pour pouvoir les empiler. Beaucoup furent détruits le 11 mars 1943, durant la Seconde Guerre mondiale, lorsque les bombes touchèrent les catacombes.

◄ DIEGO VÉLASQUEZ

Les capucins affirment qu'une des momies est celle de Diego Vélasquez (1599-1660), le célèbre peintre espagnol. Si Vélasquez visita bien la Sicile, il mourut en Espagne et fut enterré dans une église de Madrid. On ne connaît plus l'emplacement exact, mais il est improbable qu'il se trouve en Sicile. La rumeur de la présence de Vélasquez et de plusieurs autres personnages célèbres a attiré nombre de visiteurs dans les catacombes. Les momies de Palerme constituent toujours une attraction touristique, et les frères rassemblent d'importants fonds pour leur ordre en faisant payer la visite.

Corde lourde et épaisse autour du cou du capucin

Les mains desséchées tiennent un livre de prières.

L'habit est rembourré de paille.

Palerme

DES PÉNITENTS ▲

Plusieurs capucins présents dans les catacombes ont une corde épaisse autour du cou. Ils la portaient de leur vivant en signe de pénitence, une façon de montrer à Dieu qu'ils regrettaient leurs péchés. En se punissant, ils espéraient ne pas être châtiés par Lui après la mort. Une autre forme de pénitence consistait à se tenir debout plusieurs heures dans une niche pour réfléchir à sa propre mort.

LES MOMIES DE MAMMOUTHS

On trouve aujourd'hui des éléphants à l'état sauvage en Afrique et en Inde, mais leurs ancêtres vivaient sur tous les continents, sauf l'Antarctique et l'Australie. Le mammouth laineux peupla le nord de l'Europe, l'Asie et l'Amérique de 120 000 av. J.-C. jusqu'à son extinction, voilà quatre mille ans. Avec le temps, l'érosion naturelle (usure lente) des bords des cours d'eau a mis au jour des mammouths bien préservés, jadis prisonniers des sols gelés de Sibérie. On dit que les peuples sibériens les imaginaient comme des sortes de taupes géantes vivant sous terre et y creusant des tunnels.

Les défenses peuvent atteindre 5 m de long.

Petites oreilles pour empêcher la perte de chaleur corporelle

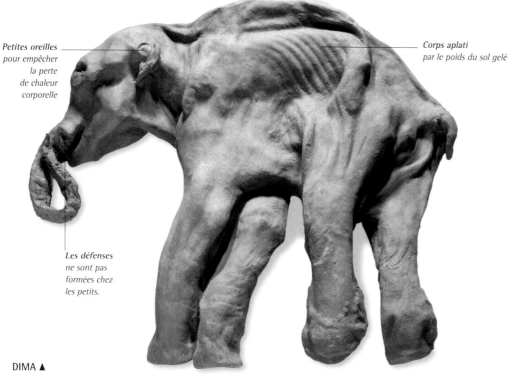

Corps aplati par le poids du sol gelé

Les défenses ne sont pas formées chez les petits.

LES MAMMOUTHS LAINEUX ▲

Même si le mot « mammouth » évoque un animal gigantesque, le mammouth laineux faisait moins de 3 m au garrot, ce qui est assez petit pour un éléphant. Cette taille « réduite » était un avantage durant la période glaciaire, où le climat était bien plus froid qu'aujourd'hui et la nourriture plus rare. Le mammouth était isolé du froid par une couche de graisse de 90 mm et d'épais poils laineux pouvant atteindre 90 cm de long.

Mammouth

Carcasse intacte, mais les organes sont moins bien préservés.

DIMA ▲

Des travailleurs du nord-est de la Sibérie exhumèrent en 1977 ce bébé mammouth, auquel on a donné le nom de Dima. Ce mâle de six à douze mois mourut voilà quarante mille ans. Comme beaucoup de momies congelées, il avait perdu son pelage, ce qui le fait ressembler davantage à un de nos éléphants. Nous savons que c'était un mammouth laineux grâce à ses petites oreilles. Les éléphants ont évolué et ont aujourd'hui de grandes oreilles, pour se rafraîchir sous les climats chauds.

La datation au carbone indique que les tissus ont quarante mille ans.

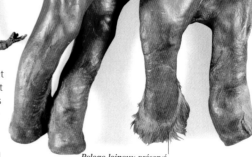

SIBÉRIE, FÉDÉRATION DE RUSSIE

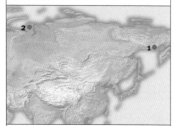

DÉCOUVERTE : 1977 (Dima), 1988 (Macha)

1. Dima : région de Magadan, N-E de la Sibérie
2. Macha : Yamal, N-O de la Sibérie

MACHA ▶

Ce bébé mammouth femelle, appelé Macha, fut trouvé en 1988 sur la péninsule de Yamal (nord-ouest de la Sibérie), au bord d'une rivière. La boue et l'eau gelées entassées sur la berge avaient fondu, exposant son corps. Un batelier finit par l'apercevoir. Âgée de trois à quatre mois, Macha est peut-être morte à cause d'une blessure à la patte arrière droite. À la différence de Dima, il lui restait des poils au bas des pattes, épais et brun clair. Les deux bébés mammouths sont exposés au Musée zoologique de Saint-Pétersbourg (Russie).

Pelage laineux préservé en partie seulement

DÉCOUVERTES DE MOMIES

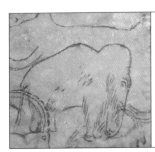

ART RUPESTRE
L'art rupestre, vieux de trente mille ans, prouve que le mammouth était familier à nos ancêtres, qui le chassaient pour sa viande, sa fourrure et son ivoire. L'homme préhistorique se servait même de son squelette pour dresser des abris sur les steppes d'Ukraine : des habitations circulaires, bâties avec des crânes et des os de mammouth.

DÉCOUVERTE DE DIMA
Cette photo montre l'état de Dima lorsque les pelleteuses le dégagèrent du sol sibérien gelé, en 1977. Le poids de la terre avait aplati son corps, mais ses organes étaient très bien préservés. L'ADN extrait de Dima révéla que le mammouth laineux était étroitement apparenté à l'éléphant d'Asie.

ADN DE MAMMOUTH
Un scientifique prélève des échantillons de poils et de tissus sur une carcasse de mammouth laineux, pour effectuer des tests ADN. On pense qu'un jour on pourra donner naissance à un mammouth en injectant son ADN dans un œuf d'éléphant d'Asie. Mais pour tenter cette expérience, les savants doivent trouver de l'ADN complet.

UN CIMETIÈRE DE MAMMOUTHS ▲
Des archéologues du Dakota du Sud (États-Unis) ont découvert un site contenant près de cent squelettes de mammouths. Trois sont des mammouths laineux, les autres appartiennent à une espèce plus grosse à poils courts, dite « mammouth colombien ». Tous moururent voilà vingt-six mille ans, en glissant dans un point d'eau et en s'y noyant. L'accident se répéta des années et des années durant, provoquant cet entassement de corps.

Les défenses font presque 3 m de long.

Traîneau tiré par des rennes sibériens

UN CHASSEUR D'IVOIRE ►
En Sibérie, les gardiens de troupeaux de rennes peuvent améliorer leur ordinaire en trouvant de l'ivoire. En 1997, Simeon Jarkov, un garçon de neuf ans, vit dépasser de la neige la défense d'un mammouth adulte. Il dégagea les deux pour les vendre. Pour protéger les éléphants vivants, le commerce de l'ivoire est maintenant interdit. Les défenses de mammouth constituent donc la seule source d'ivoire légale. On peut les sculpter pour en faire des objets décoratifs, ou les vendre entières aux musées et aux collectionneurs.

DES TOMBES DE GLACE

Pendant des millénaires, les vastes plaines d'Asie furent l'habitat de
peuples nomades, se déplaçant avec leurs animaux à la recherche
d'herbages. On peut retrouver les habitations des peuples sédentaires,
mais les nomades laissent rarement une trace de leur existence.
La découverte de tumulus dans la vallée sibérienne de Pazyryk fut
donc une des principales trouvailles archéologiques du XXᵉ siècle.
Ces sépultures abritaient les momies congelées de nomades.
C'est là, en 1993, que l'archéologue Natalia Polosmak ouvrit
la tombe de celle qu'elle appela la « Jeune Fille des glaces ».

STEPPES D'ASIE

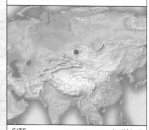

SITE :	montagnes de l'Altaï
DÉCOUVERTE :	à partir de 1920
SÉPULTURES :	v. 450-350 av. J.-C.

◄ LES STEPPES D'ASIE
La steppe – plaine herbeuse mais dépourvue
d'arbres – s'étend à travers une vaste région
d'Asie, de la mer Noire à la Mandchourie.
Les hommes de Pazyryk y passèrent la majeure
partie de leur vie nomade, parcourant de
grandes distances. En été, ils retrouvaient
néanmoins leur cimetière du sud de la Sibérie,
pour y enterrer leurs morts. Ce devait être
un lieu sacré. C'était aussi l'un des rares endroits
où ils trouvaient des mélèzes pour fabriquer
leurs cercueils et bâtir leurs puits funéraires.

LA MISE AU JOUR D'UNE TOMBE DE GLACE ►
Cette photo montre la mise au jour de la tombe de
la « Jeune Fille des glaces ». Elle fut enterrée en été,
seule saison où le sol sibérien n'était pas
complètement gelé. On la plaça dans un puits
tapissé de bûches de mélèze sur lequel on éleva
un tumulus, grand amas de terre puis de pierres.
De l'eau s'infiltra dans la tombe et gela, l'hiver
suivant. Le tumulus isola la sépulture,
empêchant la glace à l'intérieur de fondre...
jusqu'à la mise au jour de la tombe,
deux mille quatre cents ans plus tard.

Tatouages réalisés à l'aide d'aiguilles et de suie

▲ ARTIFICIELLEMENT
PRÉSERVÉ
Les nomades de Pazyryk, qui n'enterraient leurs morts
qu'en été, lorsqu'ils retournaient près du cimetière, devaient trouver un
moyen de préserver les corps. L'examen de la « Jeune Fille des glaces » montra qu'elle
fut momifiée artificiellement. On ôta son cerveau et ses organes. Ses yeux furent extraits et les orbites garnies
de fourrure. Le corps fut rembourré à l'aide d'écorce et de tourbe riches en tanin, substance conservatrice.
Son pouce droit, son bras et son épaule gauches étaient couverts de tatouages ; d'étranges créatures
qui ressemblent à des cerfs se transforment en fleurs et en oiseaux.

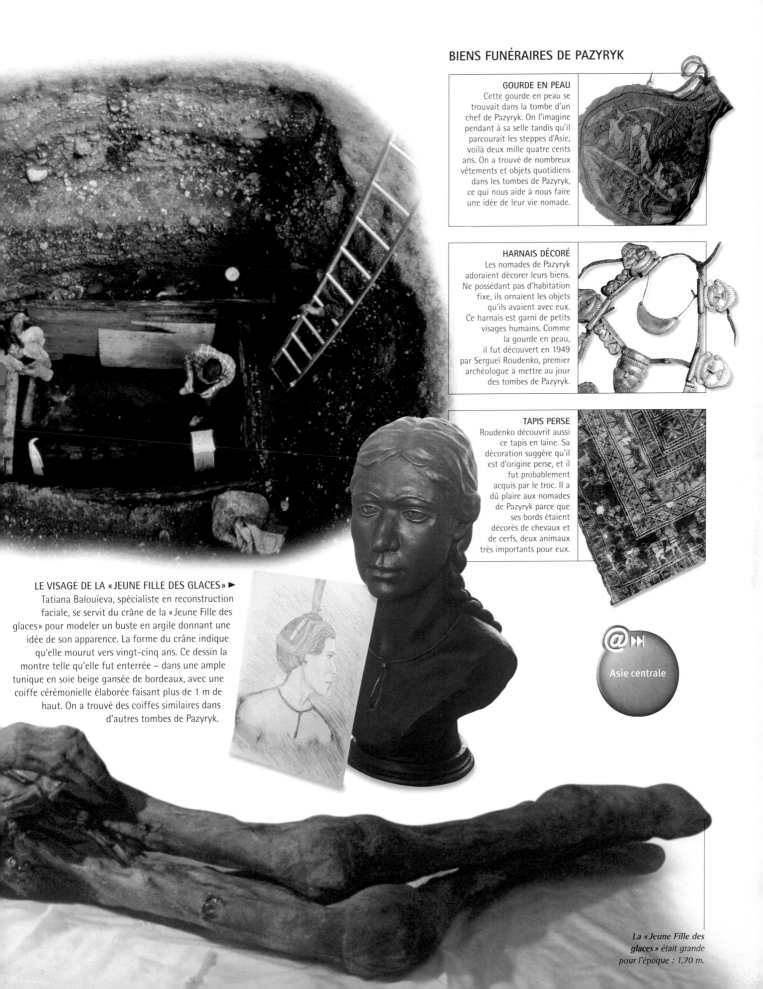

BIENS FUNÉRAIRES DE PAZYRYK

GOURDE EN PEAU
Cette gourde en peau se trouvait dans la tombe d'un chef de Pazyryk. On l'imagine pendant à sa selle tandis qu'il parcourait les steppes d'Asie, voilà deux mille quatre cents ans. On a trouvé de nombreux vêtements et objets quotidiens dans les tombes de Pazyryk, ce qui nous aide à nous faire une idée de leur vie nomade.

HARNAIS DÉCORÉ
Les nomades de Pazyryk adoraient décorer leurs biens. Ne possédant pas d'habitation fixe, ils ornaient les objets qu'ils avaient avec eux. Ce harnais est garni de petits visages humains. Comme la gourde en peau, il fut découvert en 1949 par Sergueï Roudenko, premier archéologue à mettre au jour des tombes de Pazyryk.

TAPIS PERSE
Roudenko découvrit aussi ce tapis en laine. Sa décoration suggère qu'il est d'origine perse, et il fut probablement acquis par le troc. Il a dû plaire aux nomades de Pazyryk parce que ses bords étaient décorés de chevaux et de cerfs, deux animaux très importants pour eux.

LE VISAGE DE LA « JEUNE FILLE DES GLACES » ▶
Tatiana Balouïeva, spécialiste en reconstruction faciale, se servit du crâne de la « Jeune Fille des glaces » pour modeler un buste en argile donnant une idée de son apparence. La forme du crâne indique qu'elle mourut vers vingt-cinq ans. Ce dessin la montre telle qu'elle fut enterrée – dans une ample tunique en soie beige gansée de bordeaux, avec une coiffe cérémonielle élaborée faisant plus de 1 m de haut. On a trouvé des coiffes similaires dans d'autres tombes de Pazyryk.

@ ▸▸
Asie centrale

La « Jeune Fille des glaces » était grande pour l'époque : 1,70 m.

DES MOMIES DE CHEVAUX

Pendant des milliers d'années, des chevaux sauvages ont parcouru l'Europe et l'Asie. Ils apparaissent dans des peintures rupestres datant de 30 000 av. J.-C., l'homme préhistorique les chassant pour se nourrir. On les captura ensuite pour les élever pour leur viande et leur lait. Puis, avant 2000 av. J.-C., un peuple des steppes d'Asie fit une découverte qui devait changer l'histoire. Il apprit à monter les chevaux et à s'en servir pour tirer des charges, rendant possible la vie nomade. Les chevaux étaient si importants pour les nomades de Pazyryk qu'ils en enterraient avec leurs morts.

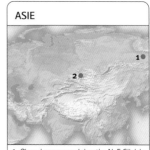

ASIE

1. Cheval sauvage : Iakoutie, N-E Sibérie

2. Cheval de Pazyryk : montagnes de l'Altaï, sud de la Sibérie

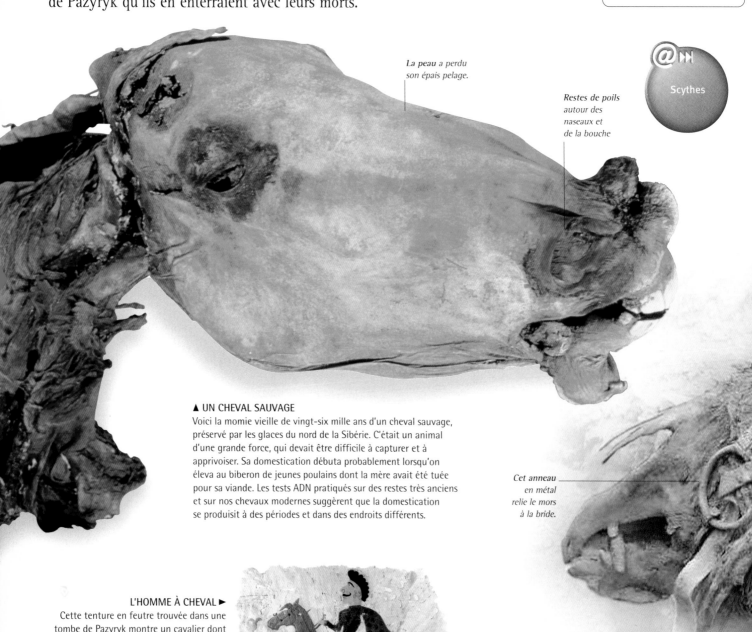

La peau a perdu son épais pelage.

Restes de poils autour des naseaux et de la bouche

@ ▶▶
Scythes

▲ UN CHEVAL SAUVAGE
Voici la momie vieille de vingt-six mille ans d'un cheval sauvage, préservé par les glaces du nord de la Sibérie. C'était un animal d'une grande force, qui devait être difficile à capturer et à apprivoiser. Sa domestication débuta probablement lorsqu'on éleva au biberon de jeunes poulains dont la mère avait été tuée pour sa viande. Les tests ADN pratiqués sur des restes très anciens et sur nos chevaux modernes suggèrent que la domestication se produisit à des périodes et dans des endroits différents.

Cet anneau en métal relie le mors à la bride.

L'HOMME À CHEVAL ▶
Cette tenture en feutre trouvée dans une tombe de Pazyryk montre un cavalier dont l'étui à arc pend à la selle. L'arc était la principale arme utilisée par les nomades des steppes. Monter à cheval permettait de parcourir de vastes distances, à la recherche d'herbages pour le bétail et les troupeaux de moutons. La force et la rapidité du cheval faisaient aussi de ces nomades de grands chasseurs et guerriers.

LE CHEVAL ET SA BRIDE ▲
L'invention de la bride aida à contrôler le cheval. Cette tête de cheval et sa bride, bien préservées, furent trouvées à Pazyryk dans le tumulus de leur propriétaire. La bride se compose de lanières de cuir fixées à la tête de l'animal par une pièce métallique, le mors, passant dans sa bouche. Des rênes sont reliées au mors. En tirant dessus, on peut forcer le cheval à changer de direction.

◄ UNE PIÈCE SCYTHE

Les nomades vivant au nord de la mer Noire
étaient connus des anciens Grecs comme
les Scythes. Cette pièce de monnaie scythe,
de style grec, montre un guerrier à cheval
armé d'une lance. Il est difficile de s'imaginer
ce que l'on ressentait jadis en voyant pour
la première fois un homme monté sur un cheval.
Peut-être cela inspira-t-il les légendes grecques
sur le centaure, être fabuleux mi-homme, mi-cheval.

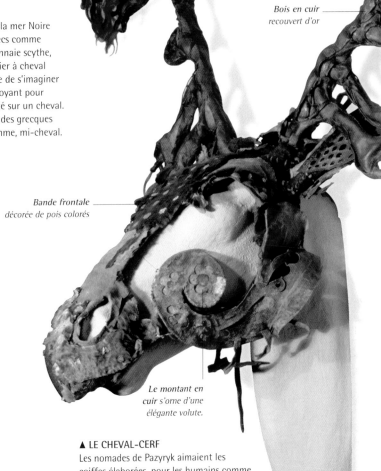

*Bois en cuir
recouvert d'or*

*Bande frontale
décorée de pois colorés*

*Le montant en
cuir s'orne d'une
élégante volute.*

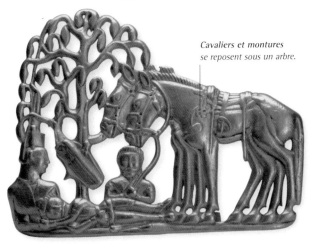

*Cavaliers et montures
se reposent sous un arbre.*

LES SELLES ET LES BRIDES ▲

Cette boucle de ceinture en argent, provenant de la tombe d'un nomade
des steppes, apporte la preuve de l'existence, dès cette époque, d'éléments
de sellerie comme la bride et la selle. La selle a deux sangles (bandes de cuir
servant à l'attacher au cheval), qui sont ici détachées, mais n'est pas munie
d'étriers – contribuant à la stabilité du cavalier, ils ne furent inventés qu'en 200.

▲ LE CHEVAL-CERF

Les nomades de Pazyryk aimaient les
coiffes élaborées, pour les humains comme
pour les chevaux. Ce masque peu banal était
porté par un cheval enterré dans un tumulus
de Pazyryk. Les bois en cuir sont là pour que le cheval ressemble
à un cerf. Grâce aux tatouages, nous savons que ce dernier
était pour les nomades un animal important, voire sacré.

*La bride en cuir
est toujours
autour de la tête.*

DES PEUPLES NOMADES ▲

Les steppes d'Asie accueillent toujours des peuples nomades perpétuant des coutumes
vieilles de milliers d'années. Beaucoup sont des cavaliers accomplis, et les enfants
apprennent à monter très jeunes. Les éleveurs nomades se déplacent avec leur bétail et leurs
troupeaux de moutons et de chèvres, occupant les pâturages d'altitude en été et les basses
steppes herbeuses en hiver. Ils participent aussi, à cheval, à des épreuves et à des jeux
sportifs auxquels se livraient peut-être les nomades de Pazyryk voilà plus de deux mille ans.

LES SECRETS DU DÉSERT

Depuis les années 1970, les archéologues chinois ont découvert quelque cent momies bien préservées au bord du désert du Taklimakan, dans le nord-ouest de la Chine. Ces momies portent différents noms, selon l'endroit où on les a trouvées ou celui où on les conserve – Cherchen, bassin du Tarim, Taklimakan, Urumqi... Curieusement, elles ont des traits européens plus qu'asiatiques. Leurs cheveux sont clairs et leur nez long, et les hommes sont barbus. Ces momies datent de 2000 à 1000 av. J.-C. Comment des ancêtres des Européens sont-ils venus s'installer dans ce qui est maintenant la Chine, à une époque aussi ancienne? C'est un mystère.

BEAUTÉ DE LOULAN ▶
Cette momie de femme fut découverte en 1980 par l'archéologue chinois Mu Shun Ying, qui la nomma «Beauté de Loulan», du nom de l'endroit où on la trouva. Elle porte sur ses longs cheveux bruns un chapeau en feutre orné d'une plume d'oie. Elle fut enterrée avec un sac de blé et un plateau servant au vannage (séparation des grains et de leur enveloppe). Ces deux objets suggèrent que c'était une paysanne. D'après la datation au carbone, sa momie remonte à 1800 av. J.-C.

Ce plateau de vannage fut trouvé sous le corps.

◀ LE DÉSERT DU TAKLIMAKAN
On dit que «Taklimakan» signifie : «entrez-y, vous n'en sortirez pas». C'est une des régions les plus rudes du monde, mais aussi l'endroit parfait pour préserver les corps. Les températures largement négatives empêchaient les morts enterrés en hiver de se décomposer. Une fois venue la chaleur de l'été, la grande quantité de sel présente dans le sol les desséchait, créant des momies naturelles.

La cape en laine serre toujours étroitement le corps.

Un sac de blé se trouvait dans la tombe.

DÉSERT DU TAKLIMAKAN, CHINE

Asie centrale

SITE :	désert du Taklimakan
PÉRIODE :	2000-1000 av. J.-C.
TOTAL :	environ 100

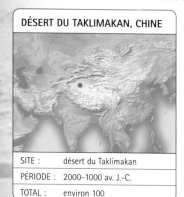

Chaussures en cuir

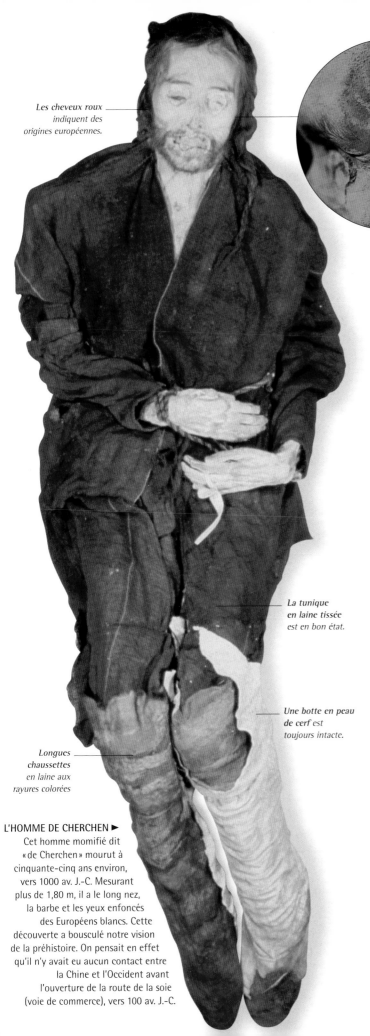

Les cheveux roux
*indiquent des
origines européennes.*

La tunique
*en laine tissée
est en bon état.*

Une botte en peau
*de cerf est
toujours intacte.*

Longues
*chaussettes
en laine aux
rayures colorées*

L'HOMME DE CHERCHEN ▶

Cet homme momifié dit
« de Cherchen » mourut à
cinquante-cinq ans environ,
vers 1000 av. J.-C. Mesurant
plus de 1,80 m, il a le long nez,
la barbe et les yeux enfoncés
des Européens blancs. Cette
découverte a bousculé notre vision
de la préhistoire. On pensait en effet
qu'il n'y avait eu aucun contact entre
la Chine et l'Occident avant
l'ouverture de la route de la soie
(voie de commerce), vers 100 av. J.-C.

◀ UN SYMBOLE SOLAIRE

Sur la tempe gauche de l'Homme de Cherchen
était peint, à l'ocre jaune, un disque solaire
rayonnant. Peut-être était-ce un symbole
religieux. Beaucoup de tombes étaient
orientées selon un axe est-ouest
suggérant que le lever et le coucher du soleil
étaient importants pour les peuples
du Taklimakan. Les tombes du site de Loulan
étaient entourées de grands cercles de bûches,
peut-être un autre symbole solaire.

LES INDICES D'UNE AGRICULTURE ▶

La découverte de matériel agricole et de restes
animaux, comme ce crâne de chèvre, suggère
que les peuples du Taklimakan étaient
des paysans. Ils vivaient dans des villages
au bord du désert. Ils pouvaient faire
pousser du blé et élever
des animaux : des chèvres et
des moutons pour leur viande
et leur peau, et des ânes
comme moyen de transport.
C'étaient aussi
des tisserands doués,
capables de réaliser
des couvertures en
feutre et des
chapeaux de laine.

*Un pieu en bois
traverse
ce crâne de chèvre.*

ARTISANAT DU TAKLIMAKAN

BERGERS NOMADES

Les peuples du Taklimakan
n'avaient pas assez de pâturages
pour que leurs moutons produisent
de la bonne laine et devaient donc
se procurer la laine en traitant
probablement avec des gardiens
de troupeaux nomades. Comme
les bergers mongols actuels, les
nomades d'alors se déplaçaient
à travers les vastes herbages
au nord du désert.

GOBELET D'ENFANT

Les peuples du Taklimakan
trouvaient même un usage aux pis
de brebis – ce gobelet d'enfant le
prouve. Les objets quotidiens de ce
genre nous aident à reconstituer
la vie des peuples du Taklimakan,
qui semblaient pacifiques.
Hormis quelques arcs et flèches
pour la chasse, on n'a retrouvé
aucune arme.

TISSU

L'examen des tissus portés par
les momies montre qu'ils sont
similaires à ceux produits en
Europe avant 500 av. J.-C. Les
peuples du Taklimakan se
servaient de végétaux et de minéraux
pour créer toute une série de teintures
vives, et tissaient la laine pour
obtenir des motifs à carreaux,
rayures, lignes croisées...

LES TOMBES CHINOISES

Comme les Égyptiens, les anciens Chinois considéraient les tombes comme la nouvelle demeure des défunts. Ils bâtirent sous terre des sépultures semblables à des palais, aux pièces somptueuses remplies de biens précieux, afin que leurs dirigeants puissent y vivre après la mort. Ces tombeaux avaient leurs propres serviteurs et soldats, des statues en terre cuite ou en bois. Les Chinois tentèrent aussi de préserver les corps en les plaçant dans des costumes de jade ou des cercueils scellés. Dans certains cas, ils remplirent ces cercueils d'un liquide d'embaumement.

LA CHINE IMPÉRIALE

1. Tombe de la princesse Tou Wan : Mancheng, province de Hebei

2. Tombe de Dame Dai : Changsha

UNE ARMÉE DE TERRE CUITE ▲

Le tombeau de Qin Shi Huangdi, premier empereur de Chine et fondateur de la dynastie Qin, est si vaste que les archéologues n'ont pas fini de le fouiller. Il fut enterré en 210 av. J.-C., avec une armée de plus de sept mille soldats de terre cuite pour le protéger dans l'au-delà. En 1974, à quelque 2 km du tumulus de l'empereur, un groupe de paysans mit au jour les fragments d'un de ces guerriers grandeur nature. Les plus célèbres tombes chinoises datent toutes de 221 av. J.-C. à 9 apr. J.-C., période où le pays était dirigé par les dynasties Qin et Han.

◄ UNE LAMPE EN BRONZE

Cette lampe à huile en bronze doré est l'un des centaines de biens funéraires précieux trouvés dans la tombe de Tou Wan, princesse de la dynastie Han. L'artisan qui la réalisa lui donna la forme d'une jeune fille devant servir la princesse dans l'au-delà. Haute de 48 cm environ, elle est munie de panneaux coulissants pour orienter et moduler la lumière.

Chine

▼ UN COSTUME FUNÉRAIRE EN JADE

Tou Wan était l'épouse d'un dirigeant local, Liu Sheng, fils de l'empereur Han. À sa mort, son corps fut placé dans ce costume en plaquettes de jade, assemblées à l'aide de fils d'or. Les Chinois appréciaient cette pierre pour sa belle couleur et sa dureté. Comme elle ne s'abîmait pas, c'était aussi un symbole de vie éternelle. Le jade nous est parvenu, mais le corps à l'intérieur s'est décomposé.

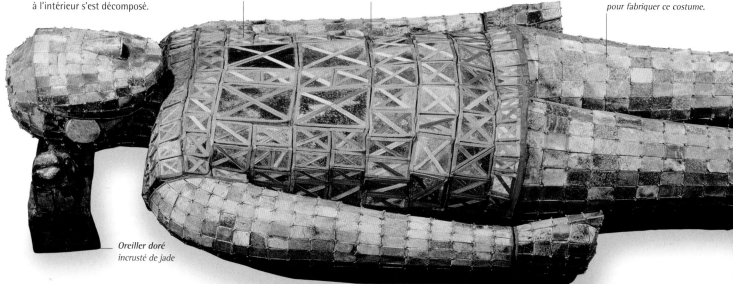

Costume composé de 2156 plaquettes de jade

Ce jade est constitué de néphrite.

Un artisan moderne aurait besoin de dix ans pour fabriquer ce costume.

Oreiller doré incrusté de jade

Corbeau se tenant face au soleil, autre évocation de légendes chinoises sur l'immortalité

LA MOMIE DE DAME DAI ▼
Le corps de Dame Dai, qui mourut vers 180 av. J.-C., repose dans trois cercueils gigognes, dans une chambre funéraire en bois. Les murs étaient rendus étanches par des couches de charbon de bois et d'argile blanche, pour empêcher l'oxygène et l'humidité d'entrer. Ce milieu conserva si bien son corps qu'il ressemblait à celui de quelqu'un mort récemment. On a trouvé deux autres momies bien préservées de la dynastie Han, dans des cercueils remplis d'un liquide d'embaumement non identifié.

Crapaud sur un croissant de lune, évocation de légendes sur l'immortalité

Dragons, considérés comme des créatures protectrices

Les cheveux sont intacts.

Des gardiens sont postés à l'entrée du Ciel.

Dame Dai mourut à cinquante ans, v. 168 av. J.-C.

UNE BANNIÈRE FUNÉRAIRE ▶
Cette bannière en soie magnifiquement peinte fut placée sur le cercueil d'une noble de la dynastie Han, Dame Dai. Les scènes illustrent son voyage vers l'immortalité. La partie plus large (en haut) représente le ciel, habité par des dieux, des dragons, des immortels et des animaux sacrés. Plus bas, la bannière montre Dame Dai s'élevant vers le ciel, accompagnée de trois servantes. Deux gardiens sont postés à l'entrée du ciel.

Dame Dai et ses servantes

Du fil d'or relie les plaquettes de jade, signe de statut royal.

▲ LA TOMBE DE DAME DAI
La tombe de Dame Dai se trouve dans la colline de Mawangdui, aux abords de la ville moderne de Changsha, dans la vallée du Yangzi. Les archéologues la découvrirent en 1971, en étudiant un site sur lequel devait être construit un hôpital. Outre le corps et la bannière, la chambre funéraire contenait plus de mille trésors, dont des bols en laque, des herbes médicinales et plus de cent statues en bois.

Monde souterrain, où un géant supporte le poids de la Terre

LA MOMIFICATION VOLONTAIRE

Les montagnes du nord du Japon abritent un groupe de momies pas comme les autres. Ce sont celles de prêtres qui choisirent de se momifier de leur vivant. Ces hommes appartenaient à la secte shingon, dérivée du bouddhisme, qui professait l'oubli de soi. Il s'agissait d'entraîner l'esprit à ignorer le monde physique et à se concentrer sur la spiritualité. Ces prêtres espéraient que leurs momies seraient un symbole de grande sainteté et inspireraient les bouddhistes suivants.

MONTAGNES DE YAMAGATA, JAPON

RÉGION :	province de Yamagata
PÉRIODE :	dès le XIVe siècle
TOTAL :	entre 16 et 24 (estimation)

@ ▸▸
Japon

UNE MOMIE PUBLIQUE ▶
Voici la momie de Shinyokai, prêtre mort à quatre-vingt-quinze ans, en 1788. Les bouddhistes pensent que l'on renaît dans un nouveau corps après la mort. Pour échapper à ce cycle de naissances et de morts, il faut accéder à l'état sacré de l'illumination. Se momifier était le signe qu'on avait atteint cet état. Comme les autres momies «vivantes» de prêtres bouddhistes, Shinyokai est vêtu de robes somptueuses et exposé dans un temple où il est vénéré comme un dieu.

Chapelet de 112 grains de bois, support de prière

CHUKAI ►

Une momie «vivante» était appelée *shokushin butsu* ou «bouddha au corps présent». Voici le *shokushin butsu* de Chukai (1697-1755). Comme d'autres moines shingons, avant de se momifier, il entraîna pendant des années son corps à ignorer la souffrance. Une façon d'y parvenir consistait à rester assis dans une pièce envahie par la fumée de piments que l'on brûlait.

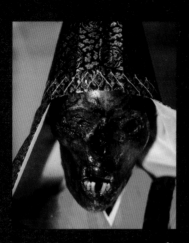

TETSUMONKAI ►

Voici le *shokushin butsu* de Tetsumonkai, mort en 1829. Il est conservé dans le temple de Churenji, dans la province de Yamagata. La légende veut qu'il soit devenu moine bouddhiste après avoir tué pour se défendre deux guerriers samouraïs. Il pratiquait l'oubli de soi pour se repentir. Un de ses actes de mortification (autopunition) consistait à rester assis dans la position du lotus (en tailleur, pieds sur le haut des cuisses) sous une chute d'eau glacée.

◄ KUKAI

Voici une statue de Kukai (774–835), moine bouddhiste qui introduisit le shingon au Japon. Après avoir étudié diverses formes de bouddhisme en Chine au début des années 800, il ouvrit au Japon un monastère où l'on enseignait un nouveau type de bouddhisme. La plupart des bouddhistes croient qu'il faut plusieurs vies pour atteindre l'illumination. Kukai pensait qu'il était possible d'y accéder en une seule vie, en pratiquant l'oubli de soi et la momification volontaire.

LE TEMPLE DE KAIKOJI ►

Le temple de Kaikoji, à Sakata, abrite les momies de Chukai (1697-1755) et d'Enyokai (1767-1822). Des générations de prêtres bouddhistes ont pris soin d'elles. Les habitants considèrent toujours ces momies comme des dieux. Aujourd'hui, plus de dix millions de Japonais – un dixième des bouddhistes du pays – suivent le shingon. Mais la momification volontaire est illégale depuis la fin du XIXᵉ siècle.

ÉTAPES DE LA MOMIFICATION VOLONTAIRE

UN RÉGIME SPÉCIAL
La méthode de momification volontaire de Kukai était un douloureux processus durant dix longues années. La première étape consistait à suivre un régime qui fasse perdre sa graisse au corps. Les prêtres cessaient de prendre leurs repas habituels à base de riz et de blé, et mangeaient des pignons, de l'écorce et des racines.

THÉ URUSHI
Ensuite, les prêtres buvaient du thé à base de sève d'urushi (arbre), servant normalement à vernir les meubles. Toxique, il faisait vomir et transpirer les prêtres, ce qui les déshydratait. Ils pensaient que cela contribuerait à préserver leur corps après leur mort.

ARSENIC
Vers la fin du processus de momification, les prêtres buvaient probablement l'eau d'une source sacrée. Les scientifiques ont récemment découvert qu'elle contenait de l'arsenic. Poison s'accumulant dans les tissus, il devait tuer toutes les bactéries présentes dans le corps et qui l'auraient fait pourrir après la mort.

EMMURÉ
Enfin, le prêtre s'emmurait dans une minuscule cellule pendant mille jours. De l'air y pénétrait par un tuyau. Le prêtre faisait sonner une cloche chaque jour pour montrer qu'il était vivant. Lorsque la cloche ne tintait plus, on bouchait le tuyau. Au bout de mille jours, les disciples du prêtre ouvraient la cellule pour voir si le processus avait été fructueux.

DES MOMIES MODERNES

Depuis la fin du XIXᵉ siècle, l'industrie funéraire a développé de nouvelles méthodes de préservation. Les embaumeurs injectent des conservateurs pour que le corps puisse être montré aux parents et amis lors des funérailles. Certains leaders politiques célèbres ont même été embaumés pour être exposés au public. La cryogénisation est une autre forme de préservation moderne. Devant son nom au grec *kryos* ou «froid glacial», elle implique le refroidissement du corps juste après la mort. Ceux qui demandent à en bénéficier espèrent que des savants inventeront un jour la technologie capable de leur rendre la vie.

▲ LÉNINE

La momie moderne la plus célèbre est celle de Vladimir Ilitch Oulianov, dit Lénine (1870-1924), fondateur de l'URSS. À sa mort, des savants triés sur le volet ôtèrent ses organes, injectèrent des liquides d'embaumement dans son corps et le plongèrent dans un bain de conservateurs. La méthode n'étant pas parfaite, des soins constants sont aujourd'hui nécessaires pour assurer sa préservation. Tous les dix-huit mois, on sort Lénine de son mausolée pour le plonger dans une cuve remplie de liquide d'embaumement.

EMBAUMEMENT : LA MÉTHODE HOLMES

Le docteur Thomas Holmes (1817-1900) est connu comme «le père de l'embaumement moderne». Officier du service de santé de l'armée américaine durant la guerre de Sécession (1861-1865), il inventa une méthode de préservation pour que les soldats tués au combat puissent être enterrés chez eux. Au moyen d'une pompe, il injectait dans les artères un liquide d'embaumement contenant de l'arsenic. À la fin du conflit, Holmes affirma avoir embaumé 4 028 hommes. Presque tous étaient des officiers, dont les familles pouvaient payer les 100 dollars réclamés par Holmes. L'effet indésirable de cette méthode est que le sol de beaucoup de cimetières américains du XIXᵉ siècle est contaminé par de forts taux d'arsenic, un poison. Les embaumeurs utilisent toujours cette technique, mais injectent désormais du formaldéhyde, produit chimique plus sûr découvert en 1868.

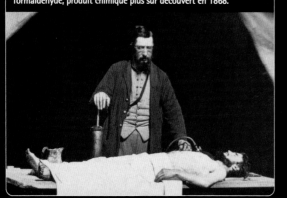

▲ LA TOMBE DE LÉNINE

La momie de Lénine fut placée dans un mausolée de la place Rouge, sur ordre de son successeur Joseph Staline. Staline pensait que le peuple soviétique avait besoin d'une figure à vénérer. Malgré l'effondrement de l'URSS en 1991, Lénine repose toujours dans son mausolée, et les touristes font encore la queue pour le voir. En 2004, un sondage révéla que 56 % des Russes pensaient qu'il ne devait plus être exposé, mais enterré convenablement.

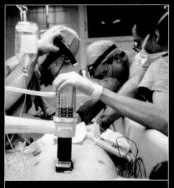

CHIRURGIE
Les clients de la cryogénisation ont le choix entre deux services : préserver tout le corps, pour 120 000 dollars, ou la tête seulement, pour 50 000 dollars. Tous deux nécessitent une importante intervention chirurgicale dès que possible après la mort. Pour le traitement complet, une équipe de chirurgiens ouvre la poitrine du patient pour atteindre les artères.

CRYOPROTECTEURS
Quand ils ont atteint les artères, les chirurgiens remplacent tout le sang par une «solution cryoprotectrice», qui va limiter l'altération des tissus. Ce processus dure quatre heures. Des méthodes similaires sont utilisées pour préserver les têtes. On affirme que, dans le futur, on pourra faire pousser un nouveau corps à partir d'une tête préservée.

AZOTE
Les cryochirurgiens refroidissent peu à peu en deux semaines le corps ou la tête, jusqu'à –196 °C avec de l'azote gazeux. Puis ils mettent le corps ou la tête dans une cuve remplie d'azote liquide, remplacé toutes les deux ou trois semaines. En fait, il ne s'agit pas de congélation mais de «vitrification», processus qui ne produit pas de glace.

BOUTEILLES THERMOS
Chaque cuve en acier peut contenir quatre corps, entreposés debout. Les têtes sont conservées dans de petits cylindres individuels. Comme les bouteilles isothermes, les cuves sont isolées par une double paroi. Même si l'on ne peut redonner vie à ces corps, la cryogénisation crée des centaines de momies que les scientifiques du futur pourront étudier.

@ ▶▶
Cryoconservation

▼ L'IDENTIFICATION

Les cellules humaines se détruisant rapidement après la mort, les clients de la cryogénisation doivent s'assurer que l'on refroidit leur corps le plus tôt possible. Ils portent des bracelets et des médailles d'alerte médicale qui indiquent le numéro à appeler en cas de mort soudaine ainsi que des instructions destinées au corps médical : «En cas de décès, refroidir avec de la glace, en particulier la tête. Ne pas embaumer ni autopsier.» Une récompense est offerte si ces instructions sont correctement suivies.

COLLIER D'IDENTITÉ

BRACELET D'IDENTITÉ

▲ LA SUSPENSION CRYONIQUE

Alcor Life Extension Foundation, dans l'Arizona (États-Unis), est la principale société proposant la «suspension cryonique». Au siège d'Alcor, les morts «congelés» sont entreposés dans des cuves en acier comme celle-ci. Le but est de préserver le cerveau et le corps pour que les médecins du futur puissent les faire revivre. Mais avant cela, il faudra que la médecine fasse un grand pas. En 2004, Alcor comptait 59 morts dans ses cuves, et 650 clients bien vivants attendant d'être préservés.

LA CRYOGÉNISATION AU CINÉMA

La préservation par le froid fut suggérée pour la première fois par Robert C.W. Ettinger dans son livre *L'homme est-il immortel?* (1964). Il y affirmait : «Quelle que soit la cause de notre mort [...] tôt ou tard nos amis du futur devraient être capables de nous faire revivre et de nous guérir.» Beaucoup n'étaient pas d'accord avec lui. Les hommes du futur, vivant sur une planète à la démographie galopante, pourraient ne pas souhaiter faire revivre les morts, qui de plus risqueraient de ne pas s'adapter à un monde où rien ni personne ne leur est familier.

La cryogénisation a inspiré plusieurs films, dont *Forever Young* (1992) de Steve Miner. Mel Gibson y joue le rôle du pilote d'essai Daniel McCormick, qui se porte volontaire en 1939 pour être congelé durant un an. L'expérience médicale menée par l'armée tourne mal, et McCormick se réveille en 1992, cinquante-trois ans plus tard.

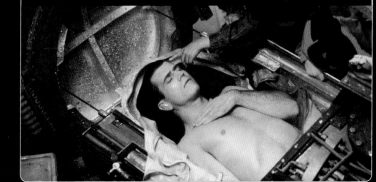

▲ DE L'ÉGYPTE AU DANEMARK
Voici la salle égyptienne de la galerie d'art
Ny Carlsberg Glyptotek, à Copenhague
(Danemark). Les artisans qui fabriquèrent
ces cercueils auraient été stupéfaits d'apprendre
que, trois mille ans plus tard, ils seraient exposés
comme œuvres d'art. Les Égyptiens ne
considéraient pas leur travail comme un art.
Pour eux, le cercueil était un objet pratique.
Abritant la momie, il avait une fonction
spécifique, magique : aider le mort à revivre.

L'EXPOSITION DES MOMIES

Au XIXe siècle, on démaillotait des momies égyptiennes devant
une vaste assemblée ayant payé pour cela. Cette fascination pour
les dépouilles préservées perdure au XXIe siècle. Ötzi, Juanita (l'Homme
et la Petite Fille des glaces) et nombre d'autres momies sont exposés
partout dans le monde, dans des musées où ils sont l'attraction phare.
On continue à momifier des corps, pour les exposer comme objets d'art
et enseigner au public l'anatomie humaine et animale.

POUR L'ART ▶
Damien Hirst (né en 1965) est
un artiste britannique
préservant souvent des
animaux morts dans le cadre
de son travail. Il veut nous faire
réfléchir sur les relations entre
humains et animaux, entre art
et vie, et méditer sur la mort.
En 1994, il plaça cet agneau
dans une boîte en verre remplie
de formaldéhyde. Son titre,
Hors du troupeau, attire notre
attention sur l'isolement et la
vulnérabilité de l'animal.

▲ POUR LA SCIENCE
Les collections médicales comptaient souvent
humains et animaux préservés. Le Wellcome
Museum of Medical Science fut fondé en 1914
par Henry Solomon Wellcome (1853-1936), riche
Américain fasciné par l'histoire de la médecine.
Il se servit de sa fortune pour rassembler
une vaste collection, dont des animaux difformes
comme ce lézard à deux queues. Le musée
ferma en 1985, avec le transfert de la collection
au Science Museum de Londres.

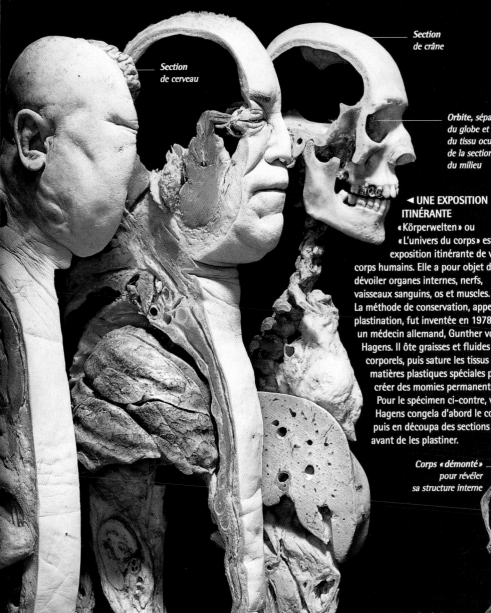

Section
de cerveau

Section
de crâne

Orbite, séparée
du globe et
du tissu oculaires
de la section
du milieu

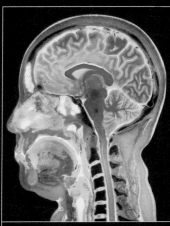

VOLONTAIRES
Les personnes exposées à «Körperwelten»,
comme cet homme dont on voit la tête,
l'ont toutes demandé par testament.
Von Hagens veut lui aussi que son corps
soit plastiné et exposé après sa mort. Pour
lui, la plastination est l'opportunité de
«constituer pour les générations à venir
un exemple de construction humaine».

◄ UNE EXPOSITION
ITINÉRANTE
«Körperwelten» ou
«L'univers du corps» est une
exposition itinérante de vrais
corps humains. Elle a pour objet de
dévoiler organes internes, nerfs,
vaisseaux sanguins, os et muscles.
La méthode de conservation, appelée
plastination, fut inventée en 1978 par
un médecin allemand, Gunther von
Hagens. Il ôte graisses et fluides
corporels, puis sature les tissus de
matières plastiques spéciales pour
créer des momies permanentes.
Pour le spécimen ci-contre, von
Hagens congela d'abord le corps,
puis en découpa des sections
avant de les plastiner.

Corps «démonté»
pour révéler
sa structure interne

Des couches de chair
ont été ôtées, exposant
muscles et organes.

JEREMY BENTHAM ►
Le philosophe britannique
Jeremy Bentham (1748-1832)
demanda à un ami chirurgien
de préserver sa dépouille et
de l'exposer pour «épargner à
ses amis la dépense de faire
exécuter une statue».
Son corps est toujours exposé à
l'University College de Londres,
revêtu de ses propres habits et
assis dans la position qu'il
aimait adopter pour méditer.
La tête exposée est en cire.
La tête momifiée de Bentham,
posée ici entre ses pieds, est
habituellement rangée sous clé.

Exposition

▲ UNE CONTROVERSE
Parmi les attractions de «Körperwelten», un homme à cheval contemple son propre
cerveau, posé dans sa main droite. En réalisant des mises en scène aussi frappantes,
von Hagens espère informer le public tout en le distrayant. Certains critiques
l'ont taxé de mauvais goût. Mais von Hagens dit que son but est d'aider les visiteurs
à «se considérer comme un élément d'une nature étonnante».

CHRONOLOGIE

Voilà des millénaires que des morts sont naturellement et artificiellement momifiés. Cette chronologie montre qui fut momifié, quand et comment. Elle détaille aussi les découvertes et fouilles archéologiques importantes associées aux momies.

@ ▸▸ Chronologie

v. 5000 av. J.-C. Les Chinchorros, tribu de pêcheurs vivant sur la côte nord du Chili moderne, commencent à embaumer leurs morts.

v. 4000 av. J.-C. Le peuple de Cerro Paloma (Pérou) momifie ses morts à l'aide de sel pour empêcher la décomposition. Il enveloppe les momies de nattes de roseau et les enterre sous le sol de leurs maisons.

v. 3350-3300 av. J.-C. Un Européen, que les archéologues appelleront « Ötzi », l'« Homme des glaces », meurt de froid dans les Alpes. Son corps est pris dans un glacier.

v. 3200 av. J.-C. Des Égyptiens sont ensevelis sous le sable du désert, qui les dessèche et les momifie naturellement. Ce sont les plus anciennes momies égyptiennes trouvées.

2686-2160 av. J.-C. En Égypte ancienne, sous l'Ancien Empire, les momies de rois et de reines sont enterrées dans des pyramides.

2589 av. J.-C. Le pharaon Khéops ordonne l'édification de la Grande Pyramide, le plus grand de tous les tombeaux d'Égypte ancienne. Elle est construite à Gizeh, sur la rive ouest du Nil, et achevée v. 2550 av. J.-C.

2000 av. J.-C. Les anciens Égyptiens commencent à embaumer séparément certains des organes internes, qu'ils conservent dans des vases canopes.

1492 av. J.-C. Mort de Thoutmosis Ier, premier pharaon à faire bâtir son tombeau dans la Vallée des Rois, à l'ouest du Nil (Égypte).

1327 av. J.-C. Mort à dix-sept ans du pharaon Toutankhamon. Il est enterré dans un petit tombeau de la Vallée des Rois.

v. 1000 av. J.-C. Des prêtres égyptiens sauvent plusieurs momies royales de leurs tombeaux de la Vallée des Rois, violés par des pilleurs. Ils les enterrent dans des caches.

v. 500 av. J.-C. Un peuple de la péninsule de Paracas (Pérou) préserve ses morts en les enveloppant dans un « cocon » enterré dans le désert.

450 av. J.-C. L'historien grec Hérodote visite l'Égypte et rédige l'un des premiers témoignages oculaires du processus de momification.

v. 50-100 apr. J.-C. Un homme est tué dans le Cheshire (Angleterre), peut-être victime d'un sacrifice religieux. Son corps est jeté dans la tourbière de Lindow Moss, qui le préserve.

79 apr. J.-C. Éruption du Vésuve (Italie), qui ensevelit sous les pierres et les cendres les cités de Pompéi et Herculanum. La cendre forme une croûte dure autour des victimes, faisant un moulage de leurs corps.

800 Les Chachapoyas (« Guerriers des Nuages ») du nord du Pérou commencent à momifier leurs morts. Leur civilisation est conquise par les Incas vers 1475.

835 Le prêtre bouddhiste Kukai meurt après s'être volontairement momifié par un processus long et graduel de privations.

v. 1000 Les Chimú, peuple du nord du Pérou, momifient leurs morts et les enterrent dans des « cocons » de tissu.

1100 Les Incas commencent à s'imposer le long des Andes, de l'Équateur au Chili et à la Bolivie actuelles. Des enfants sont sacrifiés et enterrés dans les montagnes, où le froid dessèche leurs corps. L'Empire inca perdure jusqu'aux années 1530.

v. 1475 Huit Inuits sont momifiés par l'air sec et les températures glaciales du Groenland.

1552 Le futur saint François Xavier meurt sur l'îlot chinois de Sancian. Plusieurs mois après, on exhume (déterre) son corps, qui est intact.

1599 Des capucins de Palerme (Sicile) momifient le corps de frère Silvestro da Gubbio. Sa dépouille est exposée dans les catacombes du couvent.

1792 Johann Blumenbach, physiologiste et anthropologue allemand, démaillote des dizaines de momies dans toute l'Angleterre, devant une vaste assemblée ayant payé pour cela.

1798 Napoléon Bonaparte envahit l'Égypte. Des savants français fouillent des tombes antiques et rapportent des momies à Paris.

1800 Au Japon, des prêtres bouddhistes sont momifiés par un procédé de fumage.

1832 Le philosophe britannique Jeremy Bentham est momifié puis exposé avec ses vêtements, dans sa position assise préférée.

1845 L'explorateur britannique sir John Franklin mène une expédition dans l'Arctique pour trouver le passage du Nord-Ouest. Ses hommes et lui ne reviendront jamais.

1852 En Grande-Bretagne, le collectionneur de momies Thomas Pettigrew momifie le duc d'Hamilton à sa demande. Le corps du duc repose dans un sarcophage de l'Égypte ancienne.

1868 Le chimiste allemand August Wilhelm von Hofmann découvre le formaldéhyde. Ses propriétés conservatrices jettent les bases des méthodes d'embaumement modernes.

1875 Les archéologues découvrent un vaste site funéraire antique à Ancón (Pérou). De profonds puits mènent à des tombes où des centaines de « cocons » abritent des momies bien préservées. Elles sont enveloppées de tissus, d'algues, de feuilles, de nattes d'herbe et de fourrures. Beaucoup de « cocons » ont une fausse tête, ornée d'yeux.

1879 Mort de Bernadette Soubirous, canonisée en 1933. L'Église catholique l'exhume plusieurs fois au début des années 1900. Chaque fois, on trouve un corps bien préservé.

1880 Les autorités de Palerme interdisent la pratique de la momification.

1881 On découvre une cache à Deir el-Bahari, près de la Vallée des Rois (Égypte). Elle abrite plus de cinquante momies de rois, de reines et de courtisans. Parmi elles, Ramsès II et son père, Séti Ier.

1896 On exhume des restes d'un cimetière de Guanajuato (Mexique) pour faire de la place aux « nouveaux arrivants ». Au grand étonnement des autorités, les cadavres sont naturellement momifiés.

1897 Le corps préservé d'une adolescente, appelée ensuite la « Fille d'Yde », est découvert dans une tourbière près d'Yde, aux Pays-Bas.

1898 On découvre une seconde cache dans la Vallée des Rois. Le tombeau d'Aménophis II contient seize momies, dont dix royales.

1917 L'archéologue allemand Max Uhle découvre les corps préservés artificiellement les plus vieux du monde. Ce sont les dépouilles des Chinchorros (Amérique du Sud).

1920 À Palerme, un médecin embaume le corps de Rosalia Lombardo à l'aide de substances chimiques. Surnommée «la Belle au bois dormant», la momie de Rosalia est une des dernières à être placées dans les catacombes de Palerme (Sicile).

1920 Les plus anciennes momies péruviennes connues sont trouvées sur la péninsule de Paracas (Pérou). Sur 429, presque toutes sont celles d'hommes âgés.

1921 Le docteur Paul Nordlung sort plusieurs dépouilles congelées du cimetière de Jerjolfs-nes (Groenland). Datant de l'an 1000 environ, ce sont les dépouilles d'envahisseurs vikings.

1922 L'archéologue Howard Carter ouvre le tombeau intact de Toutankhamon, dans la Vallée des Rois (Égypte). Année après année, Carter en sort la momie de Toutankhamon et l'immense trésor royal.

1924 Mort de Lénine. Le corps du leader révolutionnaire russe est préservé à l'aide de substances chimiques et exposé dans un mausolée de la place Rouge, à Moscou.

1949 Le chimiste américain Willard Libby a l'idée d'utiliser le radiocarbone pour déterminer l'âge des restes organiques (végétaux ou animaux). Cette méthode porte le nom de «datation au carbone 14».

1950 Le corps préservé d'un homme vieux de deux mille ans est découvert dans la tourbière de Tollund (Danemark). Il sera ensuite nommé «l'Homme de Tollund».

1952 Mort d'Eva Perón, femme du président argentin. Ses embaumeurs passent un an à débarrasser avec soin son corps de ses fluides, qu'ils remplacent par de la paraffine.

Une jeune fille de quatorze ans ayant vécu au Ier siècle apr. J.-C. est trouvée dans une tourbière à Windeby (nord de l'Allemagne).

1962 Robert Ettinger, professeur de physique américain, propose l'idée de la suspension cryonique dans *L'homme est-il immortel ?* (livre publié en France en 1964). Il avance que, si personnalité et identité sont de simples propriétés de la structure cérébrale, préserver le cerveau devrait préserver l'individu.

1967 Le professeur de psychologie américain James Bedford est le premier homme placé en suspension cryonique. Il demeure «congelé» dans l'espoir qu'un jour la médecine sera capable de le ramener à la vie et de guérir le cancer qui l'a tué.

1970 Le trésor du roi Toutankhamon fait l'objet d'une exposition itinérante mondiale. Entre 1976 et 1978, il fait le tour des États-Unis et attire quelque huit millions de visiteurs.

On commence à trouver dans le désert du Taklimakan (Chine) des momies de trois mille ans parfaitement préservées. Les corps n'ont aucun lien de parenté avec les Chinois modernes, et leurs traits - cheveux blonds tirant sur le roux et longs nez - sont européens. On pense que ce sont les membres d'une civilisation nomade antique.

1971 La tombe de Xin Zhui, connue comme «Dame Dai», est découverte dans une colline de la vallée du Yangzi (Chine). Son corps est dans un remarquable état de conservation.

1972 Des chasseurs trouvent des corps extrêmement bien préservés à Qilakitsoq (Groenland). Ces momies vieilles de cinq cents ans incluent un nourrisson de six mois, un garçon de quatre ans et six femmes d'âges différents.

1976 Le corps embaumé d'Eva Perón est enfin enterré à Buenos Aires (Argentine). Sa dépouille est la mieux préservée au monde, à ce jour.

1977 Ramsès II devient le premier pharaon à visiter l'Europe : sa momie part à Paris pour y subir radiographies et autres examens.

Des travailleurs du nord-est de la Sibérie déterrent un mammouth laineux bébé, vieux de quarante mille ans, qu'ils surnomment «Dima».

1978 Le professeur Gunther von Hagens invente le procédé de la plastination, qui préserve le corps humain en remplaçant ses fluides par des matières synthétiques comme le caoutchouc silicone, la résine époxy ou le polyester.

1984 Les corps de trois marins de l'expédition de sir John Franklin sont découverts dans l'Arctique canadien. La glace a préservé leurs dépouilles.

«L'Homme de Lindow», bien préservé, est découvert dans la tourbière de Lindow Moss (Angleterre). Même s'il y a reposé quelque deux mille ans, les scientifiques sont capables de déterminer comment il est mort, l'âge qu'il avait et ce qui composait son dernier repas.

1991 Des randonneurs allemands trouvent Ötzi, l'Homme des glaces au sommet d'un glacier, près de la frontière italo-autrichienne.

1992 Le visage de la Fille d'Yde est reconstitué par Richard Neave, spécialiste en médecine légale.

1993 Une équipe d'archéologues russes, dirigée par Natalia Polosmak, découvre une tombe vieille de deux mille cinq cents ans dans les montagnes de l'Altaï (Russie). Elle contient les corps de six chevaux, ainsi que celui d'une femme conservée dans un bloc de glace.

1994 L'artiste anglais Damien Hirst préserve dans le formaldéhyde le corps d'un agneau.

L'Américain Bob Brier, spécialiste des momies, en crée une en utilisant les procédés et les outils de l'Égypte ancienne. C'est la première fois en deux mille ans qu'on tente de traiter un cadavre avec les méthodes ayant préservé les pharaons.

1995 L'anthropologue Johan Reinhard découvre par hasard, au sommet du volcan Ampato (Andes péruviennes), le corps d'une petite fille à peine entrée dans l'adolescence. «Juanita» est la momie inca la mieux préservée jamais découverte.

1996 Un groupe de momies chachapoyas est découvert dans une cache de la forêt des Andes péruviennes. Malheureusement, les pilleurs qui les trouvent en endommagent certaines en découpant les tissus qui les enveloppent pour chercher des bijoux.

Découverte de la Vallée des Momies dorées, dans l'oasis de Bahariya (Égypte). Les travaux de fouilles entraînent la mise au jour de plusieurs centaines des dix mille momies (estimation) reposant dans ces tombes. Certaines sont dorées de la tête aux pieds.

1997 Mort de mère Teresa à Calcutta (Inde). Le corps de la religieuse est embaumé pour être exposé lors de funérailles nationales.

1999 Des archéologues découvrent un immense cimetière inca à Puruchuco (Pérou). Plus de deux mille deux cents «cocons» sur quinze mille (estimation) sont mis au jour.

Johan Reinhard trouve le corps préservé d'un garçon, connu ensuite comme «le Garçon du Llullaillaco», avec celui de deux autres enfants congelés, sur le mont Llullaillaco (Argentine).

2004 Une équipe d'archéologues français découvrent à Saqqarah (Égypte) des centaines de momies rassemblées dans un dédale de puits et de couloirs souterrains. Certaines sont enveloppées de lin et placées dans des cercueils scellés et des sarcophages.

DYNASTIES ÉGYPTIENNES

L'histoire de l'Égypte ancienne est traditionnellement divisée en trente et une dynasties, système conçu au IIIᵉ siècle av. J.-C. par l'historien égyptien Manéthon. Les historiens révisent noms et dates lorsque des découvertes sont faites.

Dynastie

PÉRIODE ARCHAÏQUE

Iʳᵉ dynastie v. 3100-2890 av. J.-C.
Narmer 3100 av. J.-C.
Djer 3000 av. J.-C.
Ouadji 2980 av. J.-C.
Den 2950 av. J.-C.
Adjib 2925 av. J.-C.
Semerkhet 2900 av. J.-C.
Qaâ 2890 av. J.-C.
IIᵉ dynastie v. 2890-2686 av. J.-C.
Hotepsekhemoui 2890 av. J.-C.
Nebrê 2865 av. J.-C.
Nineter
Ouneg
Senedj
Peribsen 2700 av. J.-C.
Khâsekhemoui 2686 av. J.-C.

ANCIEN EMPIRE

IIIᵉ dynastie v. 2688-2613 av. J.-C.
Sanakht 2686-2667 av. J.-C.
Djéser 2667-2648 av. J.-C.
Sékhemkhet 2648-2640 av. J.-C.
Khâba 2640-2637 av. J.-C.
Houni 2637-2613 av. J.-C.
IVᵉ dynastie v. 2613-2498 av. J.-C.
Snéfrou 2613-2589 av. J.-C.
Khéops 2589-2566 av. J.-C.
Djedefrê 2566-2558 av. J.-C.
Khéphren 2558-2532 av. J.-C.
Mykérinos 2532-2503 av. J.-C.
Chepseskaf 2503-2498 av. J.-C.
Vᵉ dynastie 2498-2345 av. J.-C.
Ouserkaf 2498-2487 av. J.-C.
Sahourê 2487-2475 av. J.-C.
Néferirkarê 2475-2455 av. J.-C.
Chepseskarê 2455-2448 av. J.-C.
Rênéferef 2448-2445 av. J.-C.
Niouserrê 2445-2421 av. J.-C.
Menkaouhor 2421-2414 av. J.-C.
Djedkarê 2414-2375 av. J.-C.
Ounas 2375-2345 av. J.-C.
VIᵉ dynastie v. 2345-2181 av. J.-C.
Téti 2345-2323 av. J.-C.
Ouserkarê 2323-2321 av. J.-C.
Pépi Iᵉʳ 2321-2287 av. J.-C.
Mérenrê Iᵉʳ 2287-2278 av. J.-C.
Pépi II 2278-2184 av. J.-C.
Nitoeris (femme) 2184-2181 av. J.-C.

PREMIÈRE PÉRIODE INTERMÉDIAIRE

VII-VIIIᵉ dynasties 2181-2125 av. J.-C.
Période instable de l'histoire de l'Égypte, qui vit se succéder nombre de rois temporaires.
IX-Xᵉ dynasties v. 2160-2055 av. J.-C.
L'Égypte est dirigée depuis Hérakléopolis.
XIᵉ dynastie v. 2125-2055 av. J.-C. (Thèbes uniquement)
Antef Iᵉʳ 2125-2112 av. J.-C.
Antef II 2112-2063 av. J.-C.
Antef III 2063-2055 av. J.-C.

MOYEN EMPIRE

XIᵉ dynastie 2055-1985 av. J.-C. (toute l'Égypte)
Mentouhotep II 2055-2004 av. J.-C.

Mentouhotep III 2004-1992 av. J.-C.
Mentouhotep IV 1992-1985 av. J.-C.
XIIᵉ dynastie 1985-1795 av. J.-C.
Amenemhat Iᵉʳ 1985-1955 av. J.-C.
Sésostris Iᵉʳ 1965-1920 av. J.-C.
Amenemhat II 1922-1878 av. J.-C.
Sésostris II 1880-1874 av. J.-C.
Sésostris III 1874-1855 av. J.-C.
Amenemhat III 1855-1808 av. J.-C.
Amenemhat IV 1808-1799 av. J.-C.
Néfrousobek (femme) 1799-1795 av. J.-C.

DEUXIÈME PÉRIODE INTERMÉDIAIRE

XIIIᵉ dynastie v. 1795-1725 av. J.-C.
XIVᵉ dynastie v. 1750-1650 av. J.-C.
Groupe de rois mineurs régnant probablement en même temps que la XIIIᵉ dynastie.
XVᵉ dynastie v. 1648-1540 av. J.-C.
XVIᵉ dynastie v. 1650-1550 av. J.-C.
XVIIᵉ dynastie v. 1650-1550 av. J.-C.

NOUVEL EMPIRE

XVIIIᵉ dynastie v. 1550-1295 av. J.-C.
Ahmosis Iᵉʳ 1550-1525 av. J.-C.
Aménophis Iᵉʳ 1525-1504 av. J.-C.
Thoutmosis Iᵉʳ 1504-1492 av. J.-C.
Thoutmosis II 1492-1479 av. J.-C.
Thoutmosis III 1479-1425 av. J.-C.
Hatshepsout (femme) 1473-1458 av. J.-C.
Aménophis II 1427-1400 av. J.-C.
Thoutmosis IV 1400-1390 av. J.-C.
Aménophis III 1390-1352 av. J.-C.
Aménophis IV* 1352-1336 av. J.-C.
Smenkharê (femme) 1338-1336 av. J.-C.
Toutankhamon 1336-1327 av. J.-C.
Aÿ 1327-1323 av. J.-C.
Horemheb 1323-1295 av. J.-C.
souvent connu comme Akhénaton
XIXᵉ dynastie v. 1295-1186 av. J.-C.
Ramsès Iᵉʳ 1295-1294 av. J.-C.
Séti Iᵉʳ 1294-1279 av. J.-C.
Ramsès II 1279-1212 av. J.-C.
Mineptah 1212-1203 av. J.-C.
Amenmès (femme) 1203-1200 av. J.-C.
Séti II 1200-1194 av. J.-C.
Siptah 1194-1188 av. J.-C.
Taousert (femme) 1188-1186 av. J.-C.
XXᵉ dynastie v. 1186-1069 av. J.-C.
Sethnakht 1186-1184 av. J.-C.
Ramsès III 1184-1154 av. J.-C.
Ramsès IV 1154-1148 av. J.-C.
Ramsès V 1148-1144 av. J.-C.
Ramsès VI 1144-1136 av. J.-C.
Ramsès VII 1136-1129 av. J.-C.
Ramsès VIII 1129-1125 av. J.-C.
Ramsès IX 1125-1107 av. J.-C.
Ramsès X 1107-1099 av. J.-C.
Ramsès XI 1099-1069 av. J.-C.

TROISIÈME PÉRIODE INTERMÉDIAIRE

XXIᵉ dynastie v. 1069-945 av. J.-C.
Smendès 1069-1043 av. J.-C.
Amenemnesout 1043-1039 av. J.-C.
Psousennès Iᵉʳ 1039-991 av. J.-C.
Aménémopé 993-984 av. J.-C.
Osorkon Iᵉʳ 984-978 av. J.-C.

Siamon 978-959 av. J.-C.
Psousennès II 959-945 av. J.-C.
XXIIᵉ dynastie v. 945-715 av. J.-C.
Chéchonq Iᵉʳ 945-924 av. J.-C.
Osorkon II 924-889 av. J.-C.
Takélot Iᵉʳ 899-874 av. J.-C.
Chéchonq II v. 890 av. J.-C.
Osorkon II 874-850 av. J.-C.
Takélot II 850-825 av. J.-C.
Chéchonq III 825-773 av. J.-C.
Pimay 773-767 av. J.-C.
Chéchonq IV 767-730 av. J.-C.
Osorkon IV 730-715 av. J.-C.
XXIIIᵉ dynastie v. 818-715 av. J.-C.
XXIVᵉ dynastie v. 727-715 av. J.-C.

BASSE ÉPOQUE

XXVᵉ dynastie v. 747-656 av. J.-C.
Piânkhy 747-716 av. J.-C.
Chabaka 716-702 av. J.-C.
Chabataka 702-690 av. J.-C.
Taharqa 690-664 av. J.-C.
Tantamani 664-656 av. J.-C.
XXVIᵉ dynastie 664-525 av. J.-C.
Nékao Iᵉʳ 672-664 av. J.-C.
Psammétique Iᵉʳ 664-610 av. J.-C.
Nékao II 610-595 av. J.-C.
Psammétique II 595-589 av. J.-C.
Apriès 589-570 av. J.-C.
Amasis II 570-526 av. J.-C.
Psammétique III 526-525 av. J.-C.
XXVIIᵉ dynastie v. 525-405 av. J.-C. (Iʳᵉ dynastie perse)
Cambyse 525-522 av. J.-C.
Darius Iᵉʳ 522-486 av. J.-C.
Xerxès Iᵉʳ 486-465 av. J.-C.
Artaxerxès Iᵉʳ 465-424 av. J.-C.
Darius II 424-405 av. J.-C.
XXVIIIᵉ dynastie v. 404-399 av. J.-C.
Amyrtée 404-399 av. J.-C.
XXIXᵉ dynastie v. 399-380 av. J.-C.
Néphéritès Iᵉʳ 399-393 av. J.-C.
Psammouthis 393 av. J.-C.
Hachôris 393-380 av. J.-C.
Néphérités II 380 av. J.-C.
XXXᵉ dynastie v. 380-343 av. J.-C.
Nectanébo Iᵉʳ 380-362 av. J.-C.
Tachos 362-360 av. J.-C.
Nectanébo II 360-343 av. J.-C.
XXXIᵉ dynastie v. 343-332 av. J.-C. (IIᵉ dynastie perse)
Artaxerxès III 343-338 av. J.-C.
Arsès 338-336 av. J.-C.
Darius III 336-332 av. J.-C.

ÉPOQUE PTOLÉMAÏQUE

Premier pharaon :
Alexandre le Grand* de Macédoine 333-323 av. J.-C.
conquérant macédonien de l'Égypte
Derniers pharaons :
Ptolémée Iᵉʳ* 305-285 av. J.-C.
Cléopâtre VII** (femme) 51-30 av. J.-C.
fondateur de la dynastie ptolémaïque
**dernière des souverains ptolémaïques*
L'Égypte fut intégrée à l'Empire romain en 30 av. J.-C., après la défaite de Cléopâtre VII à la bataille d'Actium.

GLOSSAIRE

Les termes en *italique* renvoient à d'autres entrées du glossaire.

ADN Support de l'information génétique, dans le noyau des cellules. Le nom scientifique de l'ADN est : acide désoxyribonucléique.

Akh Les anciens Égyptiens pensaient que c'était la partie de l'esprit qui existait pour toujours, s'élevant vers les cieux et faisant le tour des étoiles.

Amulette Talisman porté par les vivants ou placé sur une *momie* pour écarter les mauvais esprits ou porter bonheur. L'amulette prend souvent la forme de plantes, d'animaux ou de parties du corps humain.

Ankh En Égypte ancienne, symbole de vie porté par les dieux et les rois.

Antichambre Dans une tombe, petite pièce menant à une pièce plus vaste, plus importante.

Archéologue Scientifique étudiant l'histoire humaine à travers les fouilles et l'analyse de restes humains, de bâtiments et d'*artefacts*.

Artefact Objet fabriqué par l'homme, souvent mis au jour lors de fouilles archéologiques.

Au-delà Vie après la mort.

Aztèques Ancienne civilisation d'Amérique du Sud qui contrôla la majeure partie du Mexique de la fin du XIVᵉ siècle au début du XVIᵉ siècle. Aztèque signifie «qui vient d'Aztlán», citée inconnue du nord du Mexique.

Ba Selon la religion des anciens Égyptiens, forme spirituelle d'une personne dans l'*au-delà*, représentée par un oiseau à tête humaine.

Bactérie Micro-organisme unicellulaire vivant en nous et autour de nous. Certains provoquent la décomposition des cadavres.

Bousier Scarabée sacré en Égypte, donnant sa forme à des pierres précieuses taillées. Les anciens Égyptiens considéraient qu'il portait bonheur, et imaginaient que leur dieu Khépri revêtait sa forme.

Cache En *égyptologie*, une cache est l'endroit secret où les *momies* royales étaient dissimulées par des prêtres après la violation de leur tombe par des pilleurs.

Cartouche Boucle ovale dans laquelle sont inscrits des *hiéroglyphes* indiquant le nom de naissance et de trône d'un *pharaon*. Sa fonction était de protéger par la magie le nom du roi.

Catacombes Souterrains servant de lieu de *sépulture*, avec un renfoncement pour chaque tombe.

Couronne atef Couronne surmontée de deux grandes plumes. C'était l'un des symboles du dieu égyptien Osiris.

Cryogénisation Refroidissement d'un défunt juste après sa mort pour empêcher sa décomposition. Les patients demandant à être préservés de la sorte espèrent que la médecine développera un jour les techniques pour les faire revivre et les guérir de la maladie qui les a tués.

Datation au carbone 14 Technique utilisée pour découvrir l'âge d'un corps organique, comme un cadavre, en mesurant la quantité de carbone 14 qu'il contient. Le carbone 14 est aussi appelé radiocarbone.

Dynastie Série de dirigeants issus d'une même famille ou lignée. Les *égyptologues* divisent généralement l'histoire de l'*Égypte ancienne* en trente et une dynasties, jusqu'à l'arrivée d'Alexandre le Grand.

Égypte ancienne Période de l'histoire de l'Égypte où des *pharaons* régnaient sur la région.

Égyptologue Historien ou *archéologue* spécialisé dans l'étude de l'*Égypte ancienne* par l'examen de ses sites, *artefacts* et écrits.

Embaumement Préservation artificielle d'un cadavre à l'aide de produits chimiques, de sels, d'onguents ou d'aromates.

Formaldéhyde Substance bactéricide découverte en 1868. Ce conservateur chimique est employé en *embaumement*.

Hiéroglyphes Dessins réalistes ou stylisés d'objets, d'animaux ou d'êtres humains utilisés par les anciens Égyptiens pour représenter mots, syllabes ou sons. Ce système d'écriture est qualifié de hiéroglyphique.

Incas Peuple appartenant au groupe des Quechua, qui établit un grand empire s'étendant du nord de l'Équateur au centre du Chili. Leur capitale était Cuzco (Pérou). Leur empire exista de l'an 1100 environ au début des années 1530, où la région fut conquise par l'Espagne.

Ka Force vitale qui, selon les anciens Égyptiens, pénétrait dans le corps de chacun à sa naissance. Elle quittait le corps à sa mort et recevait des offrandes de nourriture assurant la survie du défunt dans l'*au-delà*.

Linceul Grande pièce de toile servant à envelopper un cadavre.

Masque de momie Masque représentant le visage réel ou idéalisé d'un défunt. Il était placé sur la figure de la *momie*.

Mastaba Mot arabe signifiant «banquette» et servant à décrire les premières tombes égyptiennes. Ce tombeau rectangulaire s'élevant au-dessus du sol avait un toit plat et ressemblait à un banc.

Momie Cadavre préservé de la décomposition, naturellement ou artificiellement.

Momiforme Signifiant «en forme de *momie*», ce terme est souvent utilisé pour décrire le cercueil adoptant la forme du corps humain dans lequel certains anciens Égyptiens étaient enterrés.

Monde souterrain Endroit mythologique où sont censées aller les âmes des défunts.

Natron Sel absorbant l'humidité, utilisé en *Égypte ancienne* pour dessécher un cadavre avant de le momifier. On le trouve dans la nature, dans les lits de lacs desséchés.

Némès Coiffe rayée portée uniquement par le *pharaon*.

Organes internes Parties du corps, comme le cœur et les poumons, dont la fonction spécifique assure la survie du corps.

Oushebtis Statuettes miniatures représentant des serviteurs et enterrées avec les personnages importants en *Égypte ancienne*. Elles étaient censées accomplir les tâches manuelles du défunt dans l'*au-delà*.

Papyrus Plante voisine du roseau, autrefois abondante en Égypte. Les anciens Égyptiens la traitaient pour en faire du papier, sur lequel ils consignaient faits et éléments importants.

Pectoral Ornement (pendentif) porté sur la poitrine. Il était parfois glissé entre les bandelettes d'une *momie* égyptienne.

Pharaon Titre donné aux souverains de l'*Égypte ancienne*. À l'origine, ce mot signifiant «grande maison» faisait référence au palais royal plutôt qu'au roi.

Pyramide Structure à base quadrangulaire et faces triangulaires. En *Égypte ancienne*, les pyramides étaient en pierre ou en brique crue. C'étaient surtout des tombes royales, mais certaines peuvent avoir eu d'autres usages.

Relique Ce qui reste du corps d'un saint, ou d'un objet associé à ce saint.

Sanctuaire Lieu de culte associé à un objet, une personne ou un événement sacrés.

Sarcophage Coffre de pierre abritant généralement un cercueil et un corps (ou une *momie*). Le dessus des sarcophages de l'*Égypte ancienne* portait souvent des textes aidant le défunt dans son voyage à travers le *monde souterrain*.

Scanographie Ou tomographie axiale. Procédé informatisé produisant des coupes transversales du corps grâce aux rayons X. Les images sont bien plus détaillées que les radiographies, et peuvent révéler maladies ou anomalies des tissus et des os.

Sépulture Endroit - tombe, monument ou abri - où repose le corps d'un défunt.

Taureau Apis Taureau sacré, considéré par les anciens Égyptiens comme l'incarnation physique du dieu Ptah. À sa mort, il était momifié et placé dans une tombe du Serapeum.

Taureau Buchis Taureau sacré, considéré par les anciens Égyptiens comme l'incarnation physique des dieux Osiris et Rê. Il était aussi associé au dieu de la Guerre, Montou.

Tourbière Marécage où se forme la tourbe, matière organique brune similaire à la terre. Humide et spongieuse, elle abrite des végétaux en décomposition, en particulier de la sphaigne (mousse). Les cadavres peuvent être naturellement momifiés dans certaines tourbières présentant une acidité élevée et un taux d'oxygène bas. Acidité et manque d'oxygène limitent le développement des *bactéries* faisant pourrir les corps.

Vallée des Rois Vallée retirée, à l'ouest du Nil (Égypte), où nombre de *pharaons* étaient enterrés dans des tombeaux cachés.

Vases canopes Urnes de l'Égypte ancienne, au couvercle en forme de tête d'un dieu. Ils servaient à conserver les organes internes *embaumés*.

INDEX

REMERCIEMENTS

ERPI ne saurait être tenu pour responsable de la disponibilité ou du contenu de tout site Internet autre que le sien, ni de l'accès à tout matériel choquant, pernicieux ou inexact pouvant se trouver sur Internet. ERPI ne saurait être tenu pour responsable de tous dommages ou pertes causés par des virus contractés en consultant les sites Internet qu'il recommande. Les illustrations téléchargeables sur le site associé à ce livre sont la seule et unique propriété de Dorling Kindersley Ltd, et ne sauraient être reproduites, stockées ou diffusées à titre commercial ou lucratif, sous toute forme et par quelque moyen que ce soit, sans l'accord écrit préalable du propriétaire du copyright.

Crédits photographiques
L'éditeur voudrait remercier les personnes physiques et morales l'ayant aimablement autorisé à reproduire leurs photographies :

Abréviations :
t = tout en haut ; b = bas ; d = droite ;
g = gauche ; c = centre ; h = haut ;
e = extrême

1 DK Images : King Tut Museum du Luxor Hotel c. 2 Corbis : Yann Arthus-Bertrand c. 3 Eurelios : c. 4-5 www.bridgeman.co.uk : Musée égyptien du Caire, Égypte/Giraudon. 7 DK Images : Peter Hayman/British Museum bd. 8 Corbis : Charles & Josette Lenars bg. 8 DK Images : British Museum bd, bd. 8-9 NKA/Greenland National Museum. 9 Corbis : Charles & Josette Lenars tc ; Chris Rainier bg. 9 Sandlin Associates Picture Library : td. 10 Corbis : Newbury Jeffery bg. 10 Magnum : Bruno Barbey cdb. 10 Science Photo Library : Prof. P. Motta & T. Naguro cd. 11 Corbis : Baldev td. 11 Science Photo Library : Niedersachsisches Landes Museum, Allemagne/Munoz-Yague bd. 12 Corbis : Giraud Philippe g. ; Richard T. Nowitz c. 12 DK Images : Alistair Duncan bc. 12-13 Corbis : Richard T. Nowitz. 13 DK Images : British Museum bd ; Peter Hayman/British Museum td. 14 Alamy Images : Tor Eigeland bc. 14 Science Photo Library : John Sanford bg. 14-15 Corbis : Richard T. Nowitz. 15 DK Images : Alistair Duncan td. 16 Corbis : Sandro Vannini g. 16 Topfoto.co.uk : British Museum cdb, bc. 17 www.bridgeman.co.uk : Musée égyptien du Caire, Égypte cd. ; Giraudon tg. 17 Corbis : Carl & Ann Purcell bcg. 17 DK Images : Peter Hayman/British Museum td. 18 DK Images : Peter Hayman/British Museum cb, cbg, cbd, g. 18 Jurgen Liepe : bd. 18-19 Corbis : Craig Tuttle. 19 www.bridgeman.co.uk : cbg. 19 Corbis : Ludovic Maisant chd. 19 DK Images : Peter Hayman/British Museum cg ; British Museum bd. 20 www.bridgeman.co.uk : cb, bd ; Lauros/Giraudon tg ; Museo Archeologico Nazionale, Naples, Italie cd. 20 DK Images : Peter Hayman/British Museum bcg, bcd. 21 www.bridgeman.co.uk : cbg, tcg. 21 DK Images : Dave King/Pitt Rivers

Museum, université d'Oxford, Oxford cbd ; Peter Hayman/British Museum bc, chg, chd. 21 musée Pelizaeus, Hildesheim : d. 22 www.bridgeman.co.uk : Musée égyptien du Caire, Égypte/Giraudon g. 22 Robert Harding Picture Library : ced. 22-23 DK Images : Peter Hayman/British Museum. 23 akg-images : bd. 23 DK Images : Peter Hayman/British Museum tg, td, c, cd, cd, ced. 24 Ancient Art & Architecture Collection : ceg. 24 DK Images : Peter Hayman/British Museum cbg ; 24-25 DK Images : British Museum. 24-25 Jaques Livet. 25 Ancient Art & Architecture Collection : cdh. 25 Corbis : Gian Berto Vanni td. 25 DK Images : Peter Hayman/British Museum cgh ; British Museum ch. 26 www.bridgeman.co.uk : Louvre, Paris, France, chd. 26 DK Images : Peter Hayman/British Museum g ; British Museum cbd. 27 Corbis : Gianni Dagli Orti cbg ; Jonathan Blair d. 27 Corbis : tc. 28 Corbis : Carl & Ann Purcell c ; Charles & Josette Lenars bcd ; Peter Johnson tg. 29 Ancient Art & Architecture Collection : cgh. 29 DK Images : Peter Hayman/British Museum tg, bg, bcg, d ; British Museum c. 30 www.bridgeman.co.uk : Brooklyn Museum of Art, New York, États-Unis bc. 30 Corbis : Sandro Vannini bc. 30 The Art Archive : Musée du Louvre, Paris/Dagli Orti cb. 30-31 Ancient Art & Architecture Collection. 30-31 Corbis : Roger Wood. 31 The Art Archive : Musée du Louvre, Paris/Dagli Orti td. 31 Topfoto.co.uk : British Museum cdb. 32 www.bridgeman.co.uk : Bibliothèque Nationale, Paris, France, Giraudon c. 32 DK Images : British Museum d. 32 Musée du Louvre : cgb. 33 Corbis : Araldo de Luca c ; Vanni Archive bcd. 33 DK Images : Peter Hayman/British Museum tg, cbg ; British Museum cgb, tcg. 34 DK Images : Alistair Duncan tg ; Peter Hayman/British Museum cgb, bg, cbg. 34-35 Corbis : Gianni Dagli Orti. 35 The Ancient Egypt Picture Library : d. 35 www.bridgeman.co.uk : Louvre, Paris, France, tg. 35 Werner Forman Archive : Musée égyptien du Caire chg. 36 The Ancient Egypt Picture Library : cd, ceg. 36 Corbis : Archivo Iconografico, S.A. td. 36 The Art Archive : Musée égyptien du Caire/Dagli Orti tg. 36 Robert Harding Picture Library : K.Gillham bg. 37 The Ancient Egypt Picture Library : cd, ceg. 37 Corbis : Archivo Iconografico, S.A. cgb ; Gianni Dagli Orti tg ; Mike McQueen td ; Richard T. Nowitz cdb. 38 Corbis : Hulton-Deutsch Collection tg. 38 DK Images : FotoWare. 38-39 popperfoto.com. 39 www.bridgeman.co.uk : The Stapleton Collection cdh. 39 Corbis : Bettmann td. 39 Mary Evans Picture Library : cdh. 40 Corbis : Hulton-Deutsch Collection ceg. 40-41 www.bridgeman.co.uk : The Stapleton Collection. 41 www.bridgeman.co.uk : Musée égyptien du Caire, Égypte td. 41 Griffith Institute, Oxford : cdb. 42 Ancient Art & Architecture Collection cd. 42 Corbis : Archivo Iconografico, S.A. bg ; Roger Wood tg. 42-43 akg-images : Musée égyptien du Caire. 42-43 DK Images :

King Tut Museum du Luxor Hotel. 43 Corbis : Sandro Vannini td. 43 Corbis : bd. 44 www.bridgeman.co.uk : Archives Charmet c. 44 DK Images : Peter Hayman/British Museum bd ; British Museum bcg. 44 The Art Archive : musée du château de Malmaison/Dagli Orti ceg. 44 Royal Pharmaceutical Society of Great Britain : td. 45 DK Images : Judith Miller/Marie Antiques tcg. 45 Ronald Grant Archive : cg. 45 Peery's Egyptian Theater : cd. 45 Topfoto.co.uk : bc. 46 DK Images : Geoff Brightling g. 46 Science Photo Library : Alexander Tsiaras cd, bd. 47 Science Photo Library : Klaus Guldbrandsen cd ; NIBSC td ; Peter Menzel tg ; Volker Steger tcg. 47 Université de Manchester : b. 48 Ancient Art & Architecture Collection : c. 48 www.bridgeman.co.uk : Museum of Fine Arts, Boston, Massachusetts, États-Unis, don de l'Egypt Exploration Fund ced. 48 Corbis : Bettmann bd. 48 DK Images : Andrew Butler bcg. 48 Science Photo Library : Mark A. Schneider cd. 49 Eurelios : d. 49 Science Photo Library : James King-Holmes chg, cbg. 50 South American Pictures : t. 50-51 Eurelios. 51 Eurelios : td, cgh, c, cdb. 52 Corbis : Gianni Dagli Orti ceg. 52 Werner Forman Archive : bg. 52-53 South American Pictures. 53 Corbis : Engel Bros. Media Inc. td. 53 Eurelios : cdb. 53 South American Pictures : tg. 54 DK Images : Michael Dunning tg, bd. 54 South American Pictures : cgb. 54 Museum für Völkerkunde, Berlin : bcg. 55 The Art Archive : Biblioteca Nazionale Marciana Venise/Dagli Orti td. 55 Eurelios : g. 55 National Geographic Image Collection : chd. 55 Corbis : b. 56 Corbis : Hubert Stadler t. 56 Michael Holford : bg. 56 Johan Reinhard : bd, bcd. 57 Associated Press : Martin Mejia b. 57 Johan Reinhard : td, ceg. 58 Corbis : Bettmann cdb, cbd ; Galen Rowell g. 58 Queen West Gallery District : Lewis Cottlow bg ; William R. Jamieson cd. 58 South American Pictures : ced. 59 Corbis : Hulton-Deutsch Collection cgb, cbg. 59 South American Pictures : bd. 59 Getty Images : Stone ceg. 60 Bryan And Cherry Alexander Photography : b. 60 www.bridgeman.co.uk : Hudson Bay Company, Canada cd. 60 National Portrait Gallery, Londres : td. 61 Owen Beattie : d. 61 Corbis : Ralph White bg. 61 Mary Evans Picture Library : cg. 61 National Maritime Museum, Londres : ceg. 62 Corbis : Marc Garanger g. 62 Musée d'archéologie du Tyrol du Sud : cdb, bcg, cbd. 63 Musée d'archéologie du Tyrol du Sud : td, cgb, bg, bd, chg, ceg. 64 Science Photo Library : musée de Silkeborg, Danemark/Munoz-Yague tg ; musée de Silkeborg, Danemark/Munoz-Yague cgb. 64-65 Robert Harding Picture Library : R. Ashworth. 65 DK Images : Flag Fen Excavations tg ; Geoff Dann, British Museum bcd ; University of Archaeology & Anthropology of Cambridge bd. 65 musée de Silkeborg, Danemark : tc. 66 DK Images : Museum of London chd ; British Museum cg, bd. 67 DK Images : musée national de Copenhague c. 67 Science Photo Library : Archäologisches

Landesmuseum, Allemagne/Munoz-Yague cdb ; musée de Drents, Pays-Bas/Munoz-Yague tc, tcg, tcd. 67 National Museum Of Wales : td. 68 www.bridgeman.co.uk : cgb. 68 Fortean Picture Library : Dr Elmar R. Gruber tg. 68 Magnum : Bruno Barbey bd. 69 www.bridgeman.co.uk : Lauros/Giraudon bd. 69 Corbis : Chris Lisle bc ; Galen Rowell cg. 69 Fortean Picture Library : Andreas Trottmann t. 69 Getty Images : ceg. 70 Impact Photos : tcd. 70-71 Corbis : Yann Arthus-Bertrand td. 71 Impact Photos : tc. 72 Corbis : Yann Arthus-Bertrand, bg. 72 Impact Photos : td, cgh, ceg. 72-73 Corbis : Alinari Archives. 73 www.bridgeman.co.uk : Galleria degli Uffizi, Florence, Italie tg. 73 Corbis : Yann Arthus-Bertrand. 74 Corbis : Staffan Widstrand bd. 74 DK Images : Dave King/Courtoisie du National Museum of Wales, cg. 75 Corbis : Jonathan Blair td ; Reuters bd. 75 Jean Plassard : 75 Science Photo Library : Novosti cgh ; Philippe Plailly/Eurelios ceg. 76 Corbis : Charles O'Rear, cbd ; Setbou g. 76-77 Corbis : Charles O'Rear. 76-77 Novosti (Londres). 77 Novosti (Londres) : td, cdh, cb, ced. 78 Novosti (Londres) : bc. 78 Science Photo Library : Philippe Plailly/Eurelios cg. 79 Ancient Art & Architecture Collection : tg. 79 www.bridgeman.co.uk : Hermitage, Saint-Pétersbourg, Russie cgh. 79 Corbis : Earl & Nazima Kowall bd. 79 Novosti (Londres) : td. 80 Corbis : Newbury Jeffery d ; Reza ; Webistan g. 81 Corbis : Dean Conger cd ; Newbury Jeffery ced, g ; Reza ; Webistan tc, bcd, cbd. 82 Corbis : Keren Su t. 82 Dennis Cox/ChinaStock : Wang Lu c. 82-83 Corbis : Asian Art & Archaeology, Inc. 83 Dennis Cox/ChinaStock : cbd ; Wang Lu ch. 84 Sandlin Associates Picture Library : cb. 85 Sandlin Associates Picture Library : td, bd, bcg, bcd, cg, ced, tcg. 86 Corbis : bg ; Reuters ch. 86 Pa Photos : cbd. 87 Alcor Life Extension Foundation : cd, cgb, tcg. 87 Associated press : tcd. 87 Corbis : Michael Macor/San Francisco Chronicle td. 87 Kobal Collection : Warner Bros bd. 87 Topfoto.co.uk : tg. 88 White Cube Gallery : Damien Hirst bc. 88 Powerstock : t. 88 Royal College of Surgeons : Museum of Royal College of Surgeons cdb. 89 Gunther von Hagens, Institut de Plastination, Heidelberg, Allemagne (www.bodyworlds.com) : tg, td, bd. 89 Library Services, University College, Londres : bcg. 90-91 DK Images : Peter Anderson/Courtoisie du Bolton Metro Museum.

Images de couverture
1er plat : Gianni Dagli Orti (ceg), DK Images : Bolton Metro Museum (cg), Sandro Vannini (cd), Chris Rainier (ced), DK Images : Michael Dunning (bg), dos : Getty/Photodisc Green (c), DK Images (h, b) , 4e plat DK Images : King Tut Museum du Luxor Hotel (c)

Toutes les autres illustrations sont la propriété de © Dorling Kindersley.